김모니카 김영통 김영희 김응섭 민정숙
박현찬 오선민 이명재 정향분 최개헌

일곱 개의 인생질문

저자 · 2023년 신중년경력형일자리참여자
엮음 · 손정환 차현아

일곱개의 인생질문

발 행 | 2024년 1월 20일
저 자 | 손정환, 차현아, 김모니카, 김영통, 김영희, 김응섭,
민정숙, 박현찬, 오선민, 이명재, 정향분, 최개헌

디자인 | 김예진
엮은이 | 손정환, 차현아
펴낸이 | 한건희
펴낸곳 | 주식회사 부크크
출판사등록 | 2014.07.15.(제2014-16호)
주 소 | 서울특별시 금천구 가산디지털1로 119 SK트윈타워 A동 305호
전 화 | 1670-8316
이메일 | info@bookk.co.kr

ISBN | 979-11-410-6774-8

www.bookk.co.kr

열명의 신중년이 답해주는 일곱 개의 인생질문

목차

들어가며

여러분은 우리 사회에서 이미 놀라운 역할을 하고 계십니다.

자신의 지혜와 경험으로 우리 모두에게 귀중한 가르침을 전하고, 세대 간의 연결고리 역할을 하며, 끊임없이 도전과 성장을 이루어내는 모습을 보여주고 계십니다.

여러분의 존재와 행동 하나하나는 우리에게 무한한 희망과 영감을 선사하며, 우리 사회를 더욱 풍요롭고 아름답게 만들어주고 있습니다.

'일곱개의 인생질문'은 신중년 여러분들의 소중한 경험과 이야기, 그리고 가치 있는 삶의 흔적이 진실하고 솔직하게 담겨 있습니다.

이번 자서전은 여러분의 놀라운 이야기를 널리 알리고, 더 많은 사람에게 영감과 용기를 줄 수 있는 아주 특별한 기회라고 생각합니다.

여러분의 경험과 생각, 그리고 그것을 통해 배운 교훈은 많은 이들에게 큰 도움이 될 것이며, 그들에게 새로운 길을 열어줄 수 있는 가이드라인이 될 것입니다.

여러분은 우리에게 더 나은 미래를 상상하게 해주는 중요한 역할을 하고 있습니다.

여러분의 경험과 지혜는 젊은 세대에게 전해져야 할 보물이며, 그 보물을 공유함으로써 우리는 더욱 풍요로운 사회를 만들어갈 수 있습니다.

신중년 여러분의 존재는 우리에게 희망과 가능성을 상기시키며, 더 나은 세상을 만들기 위한 용기를 불어넣어 줍니다.

"오늘은 새로운 하루, 어제의 한계를 뛰어넘을 때입니다." 새로운 출발을 하기 위해 언제든지 선택할 수 있는 순간이 오늘이라는 것을 상기시켜줍니다.

어제의 실패나 한계에 구애받지 말고, 오늘을 통해 새로운 도전에 나서고 새로운 성공을 이룰 수 있습니다.

여러분은 이번 자서전을 통해서 끊임없이 성장하고 변화할 힘과 잠재력을 증명해 보였습니다.

이처럼, 새로운 출발은 언제나 가능하며, 그 출발은 지금과 같이 여러분의 열정과 용기로부터 비롯됩니다.

저는 여러분이 자신의 꿈을 향해 나아가며 새로운 도전을 두려워하지 않고, 자신을 믿고 나아갈 수 있는 제2의 인생의 모험을 즐길 수 있기를 진심으로 기원합니다.

스탬피플협동조합 이사장

손 정 환

프롤로그

신중년을 소개합니다 :)

김모니카

김영동

김영희

김응섭

민정숙

박현찬

오선민

이명재

정향분

최개현

1
인생질문

10대의 나에게 해주고 싶은 말

조금은 뻔뻔하게, 당당하게!

김모니카

이름 때문이었을까, 아님 집안 분위기 때문일까
누굴 만나든 누굴 대하든 착하기만한 네가 양보해야하고
배려해야하는 것들에 넌 너도 모르게 힘들어하진 않았을까...

10대의 너를 생각하면 창가에 앉아 멍 때리는 모습만 떠올라
무슨 생각이 그리 많았을까
아니 무념은 아니었을까
아무 생각 없이 쉬는 그 시간이 좋은 것은 아니었을까
책 읽기을 좋아했던 너는 글쓰기도 좋아했지
일기장엔 늘 슬픈 이야기가 있었어
친구의, 이웃의 아프고 힘든 이야기는 네 이야기가 되어
불공평한 세상에 대해 조금은 염세적이고 반항적이었지

지금에 와 네게 하고픈 이야기가 있다면 말야
세상을 좀 더 희망적으로, 긍정적으로 봤다면 좋았을걸
좀 더 용기를 내어 이겨내는 위로를 배웠으면 좋았을걸
그때 읽은 책이 문학이 아닌 자기계발서였으면 좋았을걸
슬픈 이야기를 듣고 수용할 것이 아니라
조금은 뻔뻔하게 당당하게 이겨내는 방법을 모색했다면
네 친구도 이웃도 너로 하여금 더 위로 받지 않았을까
굳이 공감만으로 친절할 필요가 없었어
용기를 내야 해
지치지 않았으면 해!

10대의 나를 회상하며…그때의 나에게
부끄럽지만, 지금의 내 삶을 그 시절에 투영하여 복기하고자…..

김 영 통

환갑(還甲)을 목전(目前)에 두고 10대를 회상하며'나'를 위한 글을 쓴다는 것에 부끄러움이 먼저 앞선다. 그런데도 10대의 나를 회상하며 지금의 내 삶을 그 시절에 투영하여 복기(復棋)하고자 한다.

10대,
교복을 입고, 정해진 틀에서 정해진 시간에 학교와 집을 왕복했다. 누우면 잠이 쏟아졌고 꿈을 자주 꾸었다. '공부'와 '시험'이라는 무게가 여린 내 어깨를 짓눌렀다. 중학교부터 인문계 고등학교를 목표로 시험을 치르고, 대학 입학을 위해 고등학교 3년 내내 시험에 시달렸다. 교회를 열심히 다녔다. 교회는 하느님을 보러 가는 것이 아니라, 친구를 만나러 가는 곳이었다. 그곳에 가면 '자유와 놀이'가 있었다. 예수님을 핑계로 친구들과 마음껏 놀 수 있는 유일한 탈출구이었다.

그때의 나에게,
힘들었지? 그래도 잘 견뎌냈어. 너의 소신대로 계획을 잘 세워서 열심히 살았기에 20대와 30대를 거쳐 지금의 내가 있잖아. "Look at me, now!" 어때? 지금의 내 모습이? It's wonderful!
수고 많았어.

10대,
알렉상드르 뒤마의 소설 달타냥이 주인공인'삼총사'처럼 우리 3명은 단짝이었다. 걸어서 왕복 1시간 거리인 중학교를 셋은 함께 다녔다. 고만고만한 놈들이 '우정'과 '의리'를 지킨다고 늘 한 몸처럼 움직였다. 함께 밥 먹고, 공부하고 놀러도 다녔다. 지겹도록 붙어 다니며 그렇게 우리의 10대는 영글어 갔다. 고마워. 너희들이 있어서 나의 학창 시절은 단단하게 익었고, 아름다운 추억으로 간직할 수 있었어.

그때의 나에게,

아무런 힘이 없어 아무것도 할 수 없었던 10대, 때론 도망치고 숨고 싶었던 순간이 많았지만, 그 시기를 잘 겪어 냈기에 지금의 내가 있어. 잘 버텨 주어서 감사해. 덕분에 지금 나는 썩 괜찮은 사람이 되었어.

"... 그래도 정 참기 힘들고 괴로울 때는 소리도 지르고, 도망치지... 그랬어? 고마워, 사랑해, 그리고 감사해..."

10대의 나에게 띄우는 편지
모든 용서는 꽃으로 피어난다.

김 영 희

목련 꽃그늘 아래서 베르테르의 편질 읽노라/꽃구름 피는 언덕에서 피리를 부노라/아아 멀리 떠나와 이름 없는 항구에서 배를 타노라......
「목련 꽃그늘 아래서」시구詩句가 입안에서 종일 웅얼거린다. 사월을 여러 가지 의미로 표현하는 말들이 많지만 대한 신경정신의학회에서는 4월을 마음의 달로 정했단다. 마음은 너에게로 나에게로 수시로 달려갔다 돌아오곤 하는 이 계절. 너의 마음과 나의 마음을 읽어야 하는 계절이다.

피어나는 것들은 모두가 꽃으로 피어나니 아름답고, 또한 떨어져 스러지기도 하니 애달픈 계절이다. 그 오래전 여고생인 너의 마음은 4월 내내 분주했을 것이다. 사실 그 시절, 특히 4월엔 공부에 매진하기란 얼마나 어려운 시기냐.
대학에서 레벨이 나눠지고, 직장을 구하고 동료와 부딪히고, 배우자를 만나 친구와 비교하고, 아이를 낳아 기르면서, 그제야 무릎을 탁 치는 일이 생이지 "아, 이래서 공부해라, 공부해"를 노래로 부르신 선생님들과 부모님 생각을 하지.

그해 봄 세계사 선생님의 폭풍 같은 감정은 너의 아름다운 울음을 꺾었다. 넌 장만영 시인의 시집을 읽다가 세계사 수업이 시작됐지만 시집을 놓기 싫어 책상 아래 무릎에 놓고 시에 취해 있었지.
순간, 선생님께서 옆에 서 계셨고, 귓불에 불이 번쩍 붙었었지. 선생님 손목에서 빛나던 황금빛 결혼예물 시계는 줄이 끊어지고, 교실 안엔 숨소리도 들리지 않았고. "순이 포도 넝쿨 밑에 어린 잎새들이 달빛에 젖어 호젓하구나."라고 쓰인 문장이 바닥에서 황망한 얼굴로 나를 쳐다보고 있었다.

특기교육을 중시하는 요즘과는 아주 다른 학교 분위기였지. 개인의 특성은 무시되고, 예비고사를 몇 명이 통과하고 대학을 몇 명이 갔느냐 하는 통계가 중요시됐었다.
그러나 우리는 전인교육을 받았고, 선생님 그림자도 밟으면 안 되는 예절 교육을 잘 흡수하고 있었다. 그 교육의 효과는 어느 장소 어느 분위기에도 잘 적응하는 훈련이

됐고, 대한민국 경제발전에 큰 힘을 보탠 베이비부머 세대들의 자랑이란다.

오늘 아침 뉴스를 보는데 오래전에 먼 길을 떠나온 10대의 영희가 문득 그리워지는구나.
모든 면에서 많이 달라진 사회 분위기 속에는 화려함과 편리함, 그리고 없는 것이 없는 세상이지. 마음만 먹으면 그 무엇도 할 수 있는 세상으로 발전했단다. 그러나 그 속에는 미리 알 수는 없는 온갖 위험이 도사리고 있는 것 같아.
학원가를 찾은 어떤 사람들이 학생들에게 미리가 맑아지는 음료라고 홍보하면서 연락처를 받고 음료를 무료로 나눠주었대. 그 후 부모님들께 전화로 "댁의 자녀가 마약을 섭취했으니 신고하겠다."라고 협박했다는 내용의 뉴스를 보았지 뭐니. 1970년대엔 10대들에게 자유를 구속했다면, 지금은 각종 위협이 자유와 함께 찾아왔구나.

꽃잎이 땅 위로 몸을 내리며 안온과 겸손을 가르쳐 주는 4월이 또 한 번 돌아왔다. 그때는 이해할 수 없었던 세계사 선생님과 그 시대를 이해하자. 그리고 수업 분위기를 망친 잘못에 대해 선생님께 용서를 구하자. 저 창밖을 보렴. 지난 한 겨울의 추위를 용서하는 봄날이 꽃으로 피고 있잖니. 한때는 시詩를 놓아버리고 살았지만 이제는 숨어있던 너의 모습을 다시 꺼내 살아가고 있잖니. 올바른 수업 자세를 가르쳐 주신 선생님께 감사한 마음을 전하자.
그리고 장만영 전집을 너에게 선물할게. 그 풋풋했던 여고시절의 감성을 데려와서 달, 포도, 잎사귀를 읽으며 이 아름다운 봄 속에 살자.

10대의 나에게 해주고 싶은 말
꽃이 피면 열매가 열리듯이

김 응 섭

새벽 창밖이 부산하다. 새벽잠이 없는 내가 채 일어나기도 전인데 어둠속에서 수군거리는 소리에 눈을 뜬다. 봄비다. 기와지붕을 두드리는 소리가 아니라 기와지붕 처마를 타고 흘러내린 물방울들이 대청마루 앞 댓돌에 떨어져 화들짝 놀라는 물방울들의 아우성이 나를 잠에서 깨운 것이다. 어린 시절을 보낸 기와지붕의 낡은 집이 안개 속에서 피어오른다.

봄비는 소란스럽지 않고 요란하게 천둥 번개를 동반하지 않아서 좋다. 가끔은 거센 바람과 함께 내리기도 하지만 그것마저도 봄의 기운에 가려 이내 잠잠해지고 겨울을 지난 빈 가지에 깃털처럼 내려앉는 새처럼 부드럽게 대지를 적신다. 이 비를 맞은 꽃들이 일제히 피기 시작한다. 노란 산수유가 산자락을 가득 채우면 길가에 즐비한 벚꽃들이 팝콘처럼 튀어 오른다. 순백의 목련이 고운 자태로 흐드러지게 춤추다 지칠 때면 자목련이 그 빈자리를 대신해서 피어오른다. 세상이 온통 꽃밭이다. 이름 모를 들꽃까지 가세하면 봄의 아름다움에 숨이 멎을 지경이다. 세상이 커다란 학교이고 교실이다. 천진난만한 아이들이 뛰어 노는 운동장이다. 내 10대의 출발도 그렇게 그들처럼 함께 시작됐다.

시오리 길을 걸어서 초등학교를 다녔다. 등하교 길에는 유혹의 손짓들이 많아서 나를 고이 학교로 보내지를 않았다. 신작로 옆으로 흐르는 개울에는 수많은 물고기들의 유혹이 있어서 가끔은 그들과 노닐다가 학교 가는 길을 잊어버리기도 했고, 진달래가 활짝 핀 산자락에서 친구들과 함께 뛰어 놀다 보면 어느새 해가 기울고 어스름 저녁에 빈 둥지를 찾는 새처럼 집으로 돌아오곤 했다. 가끔씩 부모님께 혼쭐이 나기도 했지만 해마다 이맘때쯤이면 한결같이 꽃이 피어나듯, 흥과 놀이를 좋아하던 나는 친구들과 함께 하는 자연의 놀이터를 잊지 않고 찾아다녔다. 아버지에게 엄한 꾸지람을 들은 날에는 잠결에서 어머니의 손길을 느낄 수 있었고, 한여름이면 마당 한켠에 서있는 포도나무 아래서 봉숭아 꽃잎을 곱게 찧어 손톱에 물을 들여 주던 누님의 한 두 마디가 늘 가슴속에 책갈피처럼 쌓였다.
"아프지 말고 씩씩하게 자라야지, 그래야 나중에 좋은 사람도 될 수 있지. 너는 뭘 해도 잘 할 거야. 너를 믿어."

중 고등학교는 버스 통학을 했다. 구룡사에서 출발한 버스가 우리 동네에 도착하면 버스는 이미 만원으로 우리를 태우지 못하고 지나치기가 일쑤였다. 그날은 어김없이 지각을 했고 벌 청소도 다반사였다. 어느 날에는 동네 학생들을 도로 한 복판에 서게 하고 버스가 도착하면 강제로라도 문을 열게 해서 콩나물시루 같은 버스에 동승하기도 했지만, 이내 버스를 포기하고 30여 분 걸리는 시내로 걸어 나와 편하게 시내버스를 타고 등교를 하는 날이 많아졌다. 새벽 찬바람을 맞으며 걷는 기분도 좋을 뿐만 아니라, 가끔씩 등굣길에서 김춘수와 라이너 마리아 릴케(Rilke, Rainer Maria]의 시를 읽는 것도 꽤나 좋은 방편임도 알게 되었다.

고3 시절, 파일럿(pilot)을 꿈꾸다가 공군사관학교 응시를 하게 되었다. 입시 첫날 신체검사에서 손목부근에 있는 화상(火傷) 때문에 탈락했을 때에는 상심이 크기도 했다. 더군다나 함께 시험을 보러 간 친구들 세 명은 신체검사를 합격하고 이튿날 필기시험을 보는데, 혼자 여관방에서 친구들을 기다리는 심정이라니. 서울 대방동을 골목골목을 걸어 다니며 화를 삭여도 괜히 분하다는 생각만 났다.

며칠을 진로를 두고 고민을 하던 어느 날, 그날도 여느 날과 다름없이 일찍 학교에 도착했다. 3층 교실 창가에 무심코 앉아있는데 창가에 플라타너스(platanus) 가지가 눈에 들어왔다. 3층 교실보다 키가 큰 나뭇가지 속에 벌레 상처로 보이는 부러진 가지 하나가 눈에 들어왔다. 자세히 보니 가지 중간을 벌레가 파먹었는지 진액이 흘러나온 부분은 검은 색으로 부풀어 있고 가지는 부러진 채로 꺾여 있었다. 부러진 나뭇가지를 보는 순간 나는 갑자기 에디슨의 전구 생각이 났다.

'에디슨은 전구를 발명하기 위해 1000번이 넘는 실패를 거듭했어. 그럴 때마다 그는 실패가 아니라 1000번을 넘도록 전구를 만드는 방법을 찾지 못한 것이라고 마음을 다독이며 새로운 방법을 찾았다고 했지. 그 결과로 세상은 어둠에서 벗어날 수 있었고 세계적인 발명가로 명성을 날릴 수 있었던 거야.'

"사람은 누구나 넘어질 수 있어. 문제는 일어서는 방법에 있는 거야. 누군가의 도움을 받아야만 일어서는 사람이 있고, 스스로 일어나 옷에 묻은 먼지를 툭툭 떨어나고 새 출발을 하는 사람이 있어. 일어서는 거야. 그리고 다시 시작해보자"

흐트러진 마음을 바로 잡고 공부에 몰두하게 한 그날의 아침, 그 부러진 나뭇가지를 나는 아직도 생각한다.

인도의 녹색운동가인 사티쉬 쿠마로(Satish Kumar)는 어렸을 때 어머니로부터 들은 도토리 이야기가 자신을 환경운동가로 이끌었다고 한다.

'도토리를 한 알의 도토리로 보지 말고 그 속에 숨겨져 있는 커다란 상수리나무를 생각해 봐'

꽃이 진 자리에 열매가 맺히는 것처럼 나의 10대는 몇 번의 넘어짐도 있었지만, 굴하지 않고 새롭게 일어날 수 있었던 나 자신에게 오늘은 두 팔로 감싸며 다독여주고 싶다.
"수많은 유혹에 흔들리지 않고 나만의 꽃을 피워낼 수 있었던 10대의 많은 시간들은, 도토리가 껍질을 뚫고 뿌리를 내려 영양분을 흡수하고 싹을 틔워 커다란 상수리나무가 될 수 있는 멋진 준비를 하는 시간이었음을. 그래서 더욱 자랑스럽다고."
창밖은 아직도 비가 내리고 빗속으로 수많은 꽃들이 피어나고 있다.

보다 담대하고 적극적인 생활을 하였으면 한다
자신의 주관을 실천하는 삶이었다면

민 정 숙

나는 강원도에서 오지랄 수 있는 영월에서 나고 자랐다. 내가 성장할 당시만 해도 영월은 꽤나 큰 탄광도시였다. 아버지는 초등학교 교사셨고 어머니는 평범한 가정주부셨다. 두 분 모두 성격이 차분하셨고 말수도 적으신 분들이셨다. 오빠 두 명, 언니 한 명 그리고 남동생이 있는데 형제들도 다들 성격이 모나지 않고 무난한 편이다.

여느 시골아이와 마찬가지로 나의 유년시절은 그저 동네에서 아이들과 뛰놀던 기억뿐이다. 여자아이들이 하던 고무줄놀이를 하고 오빠, 언니와 술래잡기도 하고 먹을 것이 생기면 조금 더 먹으려고 다투기도 하면서 자라났다.

부모님 성격을 닮아서인지 나는 성격이 강한 편이 아니다. 어렸을 때는 유난히 눈이 크고 동그라서 겁이 많다고들 했다. 그러다 보니 친구들과의 관계에서도 내 주장을 관철하기보다는 늘 양보하고 속으로 삭이는 편이었다.

10대라면 초등학교 고학년부터 중, 고등학생 시절이다. 작은 영월읍에서 초, 중, 고를 다녔으니 어렸을 적 친구들이 모두 같은 학교를 같이 다니는 형편이다. 초등학교야 남녀공학이지만 중, 고등학교는 여중, 여고를 다녔으니 가뜩이나 적극적이지 않았던 성격이 더욱 내성적이 되었을 것이다.

10대 시절의 나는 말 그대로 평범한 학생이었다. 특별히 뭔가를 잘 하지도 못 하지도 않고 착실하게 학교만 열심히 다니는 아이였다. 말썽을 부리는 일도 사고를 치는 일도 없이 그렇다고 밤을 새워서 죽자살자 공부만 하는 스타일은 더더구나 아니었고.

수업시간에도 먼저 손을 들고 나서서 뭔가를 대답하는 경우도 적었다. 알면 아는 대로 모르면 모르는 대로 그냥 속으로만 내 생각을 품고 있었다. 무척 조용한 성격이니 우스갯소리로 수업시간에 빈 책상만 치운다면 내가 없어도 급우들이 눈치채지 못 했을 것이다. 남들은 듣기만 해도 설레고 무슨 꽃동산에 노니는 듯한 10대를 보냈겠지만 나는 특별할 것 없는 평범한 청춘을 보낸 것이다.

지금 생각하면 내 성격이 좀 더 계획적이고 목표를 이루려는 강한 집념의 소유자였다면 지금의 인생도 달라졌으리라 생각한다. 내가 내 주장을 제대로 못 하고 내 의견을 제대로 밝히지 못 하고 강한 추진력으로 어떤 사안을 실천하지 못 할 때 남들은 자신들의 목표를 자기의 의지대로 이루어 나가고 있었을 것이다.

다시 태어날 수 없는 생이지만 인생의 황금기라는 10대를 다시 살 수 있다면 뚜렷한 주관을 갖고 내 인생의 목표를 이루기 위해 계획적이고 적극적으로 행동하는 삶을 살았으면 한다.

그리운 나의 문청시절 영원히 함께 하기를 (십대의 나에게)

박 현 찬

1976년 1월 2일 혹은 3일, 나는 눈을 뜨자마자 마당으로 달려갔다. 신문 신년호를 보기 위해서였다. 내 방으로 신문을 가지고 온 나는 조심스레 펼쳤다. 바로 다음 순간 나의 눈이 휘둥그레졌고 가슴이 마구 뛰기 시작했다. 아니 이게 무슨 일이지? 나는 정신을 차리고 활자를 한 자 한 자 다시 살펴보았다.

그래, 이건 내가 보낸 작품이 아니야. 확실히 다른 작품이야. 당선자 이름도 다르잖아. 그래도 너무 심했어. 아니 어떻게 제목이 이렇게 비슷할 수가 있지?

그 해 중앙일보 신춘문예 단편소설 부문에 당선된 작품의 제목은 정확히 기억나지 않는다. 다만 내가 제출한 작품의 제목과 거의 흡사해서 마지막 한 단어만 달랐다. 그러니 놀란 것도 무리는 아니다. 잠깐 흥분을 가라앉히고 찬찬히 생각해보니 이건 처음부터 놀랄 일도 아니었다. 왜냐하면 만약에 내가 제출한 작품이 당선작이었다면 이미 며칠 전에 신문사로부터 연락이 왔어야 한다. 당선 사실 자체는 신문을 보고 확인해라 할 수도 있겠지만, 적어도 당선 소감을 게재하기 위해서는 사전에 요청이 왔어야 한다는 거다.

겨우 고등학교 2학년이었던 내가 왜 그렇게 신춘문예에 매달렸는지 신기하기는 하다. 대학입시를 딱 1년 남긴 겨울방학, 3학년으로 올라가는 그 타이밍은 대학입시에 결정적인 영향을 미치는 너무도 중요한 시기다. 그런 중차대한 시점에 왜 나는 엉뚱하게도 신춘문예 당선을 목표로 단편소설 쓰기에 매달리고 있었던 것일까. 지금도 어렵기는 마찬가지이지만, 당시에는 중요 작가들이 대부분 중앙일간지 신춘문예를 통해 등단하는 시절이어서 더욱더 고등학교 2학년이 도전하기에는 지극히 난망한 그런 목표였을 거다. 매일 방에 처박혀 무언가를 열심히 적고 있는 나를 사로잡고 있는 의식은 국영수 공부가 아니라 소설의 인물과 주제 그리고 스토리 구성이었다. 친구들이 좋은 대학에 합격해서 자신을 증명하기 전에 먼저 신춘문예에 당당히 당선되어 나 자신의 존재를 증명하고 싶었던 것일까. 그 목표는 어렵지만 아예 불가능하다고 생각하지는 않았다. 70년대 최고의 작가였던 [별들의 고향]의 최인호나 [겨울여자]를 쓴 조해일은 모두 고등학교 2학년 때 신춘문예 단편소설 당선자들이었다.

나의 웅장한 목표는, 그냥 조용하고 평범한 한 아이가 주변의 친구들과 선생들 그리고 가족들까지 모두를 정말 깜짝 놀라게 하면서 의기양양 해보려던 그 대단한 목표는 76년 벽두에 그렇게 막을 내렸다. 최인호 작가나 조해일 작가의 생애를 어느 정도 알고 있는 지금의 안목으로 당시의 나를 비교해보면 사실상 처음부터 실현불가능한 꿈이었다. 그 이후에도 고교시절 등단 경력을 가진 작가로 새로 발견하게 된 작가는 황석영 이외에 알지 못한다. 그만큼 한국문학사 전체에서도 고교생 등단은 몇몇 천재 작가에게만 주어진 천혜의 경지였던 것이다.

그렇다고 나에게 아주 작은 에피소드도 없었던 것은 아니다. 소위 문과 우등생반이었던 우리반은 졸업을 기념하여 학급문집을 만들기로 했고, 졸업식 날에 선생님들과 아이들에게 완성된 문집이 배포되었다. 꽤 그럴싸하게 제본까지 된 문집을 받아 본 아이들이 뒤에서 수근 거리던 게 아직도 기억이 난다. 그 문집에 내가 쓴 두 편의 작품, 한 편은 [표지 모델] 또 한 편은 [천년을 하루처럼 하루를 천년처럼]이라는 산문시였는데 직접 일러스트까지 그리고 육필로 쓴 그 작품을 보고 모두들 천재 시인 이상을 닮았다고 했다. 까칠하기로 이름난 국어 선생님까지 일부러 나를 찾아와서 아는 체를 해주셨다. 비록 공식적으로 등단까지는 못했지만 그 시절 문학소년 혹은 문학청년의 치열했던 꿈은 아련한 추억의 한 자락으로 남아있다.

결혼 후까지도 버리지 않고 어딘가 창고 구석에라도 보관하던 신춘문예 초고 더미가 새삼스레 그리워진다. 지금 사는 아파트로 이사 오면서 평수도 넓어지고 보관하기도 더 여유가 있었을 텐데 왜 챙기지 못했을까. 고교 졸업문집은 다행히 지금 아파트로 이사 온 후에도 보았던 기억이 있다. 물론 어디에 있는지 정확히 알지는 못한다. 하지만 없애지는 않았을 거라고 믿고 싶다. 기억이 존재하는 한 그 시절 그 시간은 살아있다. 그 기억이 모여 오늘의 나를 이루고 있으니까. 아 10대의 아름다운 그 시절이여, 내가 살아있는 한 영원히 나와 함께 하기를 소망한다.

나를 찾아가는 여정
찬란했던 시절이여!

오 선 민

십 대는 사춘기를 지나는 시기이다.
나는 어디에서 왔고 어디로 가는가?
사람은 왜 태어나고 왜 죽어야 하는가?
신은 있는 것일까?
늘 나의 화두였다.

초등학교, 중학교 시절에는 철없이 마냥 해맑은 아이였는데 고등학교 시절에는 갑자기 조숙한 숙녀가 되어 있었다.
많은 질문을 던지고 생각하고 고민했던 시기였다.
인생은 무엇인가를 고민하는 조숙한 여고생이었다.

중3 때 아버님이 아프셔서 고2 때 영면에 드셨다. 너무 젊은 나이에 떠나시니 슬픔은 이루 말할 수 없이 컸다. 항상 밝고 씩씩하고 명랑해 보이는 나였지만 그 뒷모습에는 우울하고 슬프고 아픈 내가 있었다. 친구나 선생님께 말을 못 하는‥‥‥‥
맏이인 나는 고등학교를 상업계로 진학했고 적성에 맞지 않아서 학교 공부가 힘들었었다.
난 대학도 가고 싶었고 교사가 되고 싶었고, 작가도 되고 싶었다.
생각해 보면 십 대의 나는 무엇을 쓰고 싶어서 조바심을 냈었다.
그런데 어떻게 써야 하는지 몰라서 무작정 끄적였던 생각이 난다.
그래서인지 지금도 글쓰기를 멈추고 있지 않은 것 같다.
하지만 그때의 현실은 도저히 이루어질 수 없는 꿈이었다.
억지로 부기, 주산, 타자를 배우며 취업을 준비했던 시기. 내 꿈은 저 멀리 떠나버렸다고 생각했던 시기. 나의 십 대는 슬프고 우울하기만 했었다.
하지만 나는 포기할 수 없었다. 무엇인가 해야만 했고 이대로 내 삶을 그냥 흘려보내기 싫었다. 그런데 무엇을 어떻게 시작해야 하는지 도무지 알 수 없었다.
아마도 나의 방황은 고교 졸업 후 시작되었던 것 같다.
나의 개인사와 역동의 시기였던 1980년의 시기가 맞물리면서 끝없이 나락으로 떨어지는 듯한 경험도 해 보았다.

인생이 평탄하기만 하면 어찌 그것이 인생이겠는가.
망망대해에 나룻배 타고 아슬하게 지나는 것이 인생이 아닐까?

십 대의 나는 나를 찾기 위해 무던히도 발버둥 치며 헤맸던 시기였다.
유난히 감성적이고 예민했던 아이.
그때 그 환경이 너무 싫어서 도망치고 싶었던 아이.
왜 나만 이렇게 힘들게 살아야 하냐고 하느님 원망을 많이 하던 아이.
성당에서 기도드리면서 제발 제 소원을 들어달라고 떼쓰던 아이.
지금 생각해 보면 그런 시기가 있었기 때문에 성숙해지고 정신적으로 더 자랐던 것 같다.
오히려 많은 경험으로 생각이 많아지고 넓어진 것은 아닐까.
나의 십 대의 시절을 찬란하게 보낸 결과로 늦은 나이에 원하던 대학도 졸업했고 작가도 되었으니
그때의 방황과 고민의 시간들은 결코 헛된 것이 아니었음을 안다.

십 대의 나에게 꼭 해 주고 싶은 이야기는 대견하다고 어깨를 토닥거려주고 싶고, 잘 견뎌줘서 고맙다는 얘기를 해주고 싶다.
돌이켜 생각해 보면 그런 시기가 없었다면 내가 성숙하게 잘 클 수 있었을까?
혹시 지금 철없이 행동하고 어른스럽지 못한 어른이 되어 있지는 않았을까?
나를 찾아가는 여정의 그 시절은 찬란했다고 생각한다.
그리고 십 대의 나에게 잘했다고 박수 쳐 주며 칭찬해 주고 싶다.
선민아!
잘했어!
장하다~!!

여우비처럼 빠르게 스친 10대
세월이 지나면 더 또렷해지는 기억들

이 명 재

이런저런 이유에서 10대의 기억을 꺼내보고 싶지 않아, 가슴 저 밑바닥 아무도 모르는 곳에 깊이 숨기고 두꺼운 이불로 덮어 한 번도 꺼내 본 적이 없는 눅눅하고 곰팡이가 가득한 기억 들, 표면에 가득힌 먼지를 툭툭 털어 꺼내 보이려 한다.
가물가물 잠재적 무의식 상태인 기억들을 필름을 현상하듯 현상액에 넣었다 꺼내고 다시 정착액 처리를 해야 비로소 스멀스멀 흐릿한 상들이 조각조각 깨어져 나타난다.
가식적인 미사여구 보다 나 자신에게 해줄 말이니 속을 꺼내 햇볕에 그대로 널어 보이려 한다.

가난과 외로움으로 범벅이 된 흑백영상 조각들, 그 속에서 나이답지 않게 생존본능에 매달려 오직살려고 했던 멍청한 놈이 거기에 서 있다.
철이 들었을 때는 이미 환갑을 넘기신 부모님, 주위에서 단란한 시간을 보내며 웃음이 끊이지 않던 건너 방 식구들을 남의 일처럼 바라보던 외로움, 가끔씩 친척이 방문해 내 이름을 부를 때면 내 이름이지만 내 이름 같지 않던 낯섦에 화들짝 놀라던 기억들,
그런 하잘 것 없는 조각난 퍼즐을 꺼내 들고 힘없이 서 있던 그놈에게 나는 뭐라 말을 해줄 수가 있을까?
이제 검버섯이 돋고, 반백이 넘는 머리카락을 쓸며 너에게 내가 할 수 있는 말이 무엇일까?

더 잘 살 수는 없었을까? 라고 말해 준다면 그놈에겐 너무 가혹한 말 같다.
"그렇게 살았으면 된 거다"라고 말해 주기엔 긴 시간을 견딘 결과가 너무 초라하다.
그러나 너를 탓하려는 건 아니지만 너에게 꼭 해주고 싶은 말 두 마디가 있다.
"사람은 주위환경에 따라 달라진다는 걸 넌 몰랐다"라는 말과
"우물쭈물하다 내 그리될 줄 알았다" 이 두 마디이다.

첫째 그놈에게 하고 싶은 말

코이의 법칙이라는 게 있다.
비단잉어 "코이"는 그가 자라는 환경(그릇?)에 따라 5㎝가 되기도 하고, 150㎝가 되기

도 하며 환경에 적응하며 살아간다는 것이다.
인간도 주위환경에 지배를 받는다면 너도 만일 더 큰 곳으로 나갔다면 "많이 달라졌을 수 있지 않았을까?"라는 생각을 한다.

1차 산업으로 연명하던 70년대는 누구나 어렵고 힘들던 시기다.
가족들은 내심으로 대가족(16명)이 순전히 노동력에 의존해 살아가는 것보다 몇 사람쯤 나가 줬으면 좋겠다고 내심 바랄 수도 있었을 것 같다.
19살에 취직이라는 걸 해 집을 떠날 때, 주위의 이유모를 눈빛은 걱정과 안쓰러움이 아닌 안도의 눈빛이었을까?
후미진 웅덩이에 오글오글 모여 사는 올챙이 같은 형제들이 보내는 야릇한 눈빛은 너는 이제 살았다는 의미였을까?
어쨌든 진즉에 떠났어야 했다.
좀 더 일찍 떠났더라면 남은 가족에게 도움이 되었을 것이고, 부모님의 등도 한결 가벼워지지 않았겠는지?
그 후 주위에서 힘들어 하는 사람들을 보면 진정으로 그들을 도울 방법이 무엇인지를 냉철하게 바라보는 습관이 생겼다.
그냥 어려우니까 도와야지 하는 보편적 생각보다 내가 도왔을 때 어떤 결과를 가져올까? 라는 생각을 먼저 하게 되는 계기가 된 것 같다.
억척스럽게 생산적 복지를 주장한 결과 견해가 다른 윗분들과 갈등을 빚어 어려움을 자초하기도 했다.
돕긴 돕되 기여를 하면 돕자는 것이다.
잘 못 도우면 더 나아질 가능성도 있는 사람을 현실에 안주하게 만드는 기회를 제공하기도 한다는 생각에서였다.
먼 훗날 시간이 지나고 그들이 지금 저기 서 있던 멍청한 놈처럼 그때 일찍 변화하는 환경에 적응했더라면 결과는 지금보다 나을 수도 있었다는 후회가 있을 수 있기 때문이었다.

두 번째. 그놈에게 하고 싶은 말

아일랜드 극작가 조지 버나드 쇼의 묘비에는 "우물쭈물하다 내 이럴 줄 알았다"라고 써 있다고 한다.

여우비처럼 빠르게 스치듯 지나가는 10대를 현실에서 벗어나지 못하고 우물쭈물 엉거주춤 서 있었으니 정신을 차려 뒤늦게 알아차린들 무슨 소용이 있었겠는가?
나름 최선을 다했다는 멍청한 그놈에게 "잘 못했다" 질책을 하지는 못하겠지만,
현실에 충실하고 열심히 살았다 하여 후회 없는 인생을 살았다고 말하지는 않는다.

모든 사람이 대부분 그리 살고 있기 때문일 게다.

혼자 그리 산 것처럼 착각을 하면 대단한 오류다.

모든 사람과 같은 생을 살았다면 평범한 생을 산거고, 평범했으니 결과가 평범한 건 어쩌면 당연하다.
변명이지만, 자신의 삶이 내 삶이 아니고 맡겨진 사회의 일부분 몫을 수행하지 않으면 도태될 것 같은 위기감에서, 그리 살고 싶어서가 아니라 그래야만 버텨 낼 수 있으니 살았던 걸 지금 와서 열심히 살았다고 둘러대는 것 같다.
모두는 아니겠지만 적어도 대다수는 나와 같이 순간을 최선을 다해야 하는 절박한 삶을 사는 걸까?
다른 대안을 찾아보지도 않고, 주어진 현실 속에서 열심히만 살았으니, 결과는 우물쭈물 산사람과 같게 되었다는 것이다.

이제 필부가 되어 모든 걸 내려놓고 내게 주어진 공간이라고는 석자 남짓한 책상 위에 아침이면 잠깐 뱀 혓바닥처럼 한 뼘 남짓 날름대다 사라지는 햇볕을 쬐며, 어찌 살았어야 되는지를 아직도 고민하고 있으니, 억울하겠지만 결과적으로 우물쭈물 산사람이 되어 버린 거다.
내가 10대의 한심한 그놈을 다시 만난다면 코이라는 비단잉어 얘길 들려주고 싶고,
여우비처럼 순간적 찰나에 지나가는 10대를 우물쭈물 놓쳤으니 내 그렇게 될 줄 알았다.
라는 두 마디는 꼭 들려주고 싶다.

10대의 나에게.
매 순간에 성실하며 좋은 습관을 만들어라!

정 향 분

10대의 나에게.

나는 10대 때 하고 싶은 분야에만 집중하고 그렇지 않은 분야에는 억지로 끌려가듯 해내며 보냈던 시간이 많았던 것 같다. 어른이 되고 나이가 들어보니 10대 때 나 자신을 좀 더 가꾸고 매 순간 성실하게 지냈으면 좋았을 걸 하는 아쉬움이 많이 남는다.
그러지 못했던 10대의 나에게 해 주고 싶은 말이 있다.

매 순간에 성실하며 좋은 습관을 만들어라!
10대에 가장 중요한 것은 좋은 습관 만드는 일이라고 생각한다.
작은 습관들은 모이고 모여 점차 우리 삶과 미래를 만드는 중요한 요소가 된다.
좋은 습관의 중요성을 인식하고 내 것으로 만들어 성실히 실천해 나가야 한다는 점을 강조하여 말해주고 싶다.

세상에는 사소하고 작은 일들에 성실하게 임할 때 더 크게 성장해 나갈 수 있다는 많은 메시지들이 있다.

"세상의 어려운 일은 모든 쉬운 일에서 비롯되고, 세상의 큰일은 반드시 작은 일에서 시작된다. 그러므로 어려운 일을 해 내려면 쉽게 시작해야 하고, 큰일을 이루고 싶다면 작게 시작해야 한다."
"대단한 것들이 대단한 인생을 만드는 것이 아니라 사소한 것들을 오래 하면 대단한 인생이 만들어 진다."
"성공은 매일 반복하고 있는 작은 노력들의 합이다."
"씨앗이 하늘을 찌르는 큰 나무가 되는 것을 보라."
"행복도, 불행도, 성공도, 실패도 모두 그 처음은 조그만 일에서 시작된다."

주어진 일상 속의 사소한 일들을 성실하게 해내고 습관으로 만들어 가야 한다는 말이다.
공부하는 습관, 책 읽는 습관, 메모하는 습관, 연습하는 습관, 경청하는 습관, 일찍 일어나는 습관, 운동하는 습관. 10대의 나는 어렵지 않지만 꾸준히 해 나가기 어려운 이러한 사소한 일들을 습관화 시켜 성장해 나가길 바란다.
나뿐만 아니라 습관을 들이기 쉬운 모든 10대들에게도 중요한 이야기인 것 같다.

10대에 만난 세상이 크고 깊어져 20대의 세상이 되고, 또 30대의 세상이 그렇게 되고, 이후가 계속되는 것처럼 10대에 쌓은 건강한 습관들이 삶의 바탕이 되어 평생의 모습이 되는 경우가 많다.

가족, 학교, 선배, 선생님 등 10대에 주어진 많은 일상 속 배움터 안에서 크고 작은 부분 그 어떤 것도 항상 성실하게 수행하는 바른 습관을 만들어 가기를 나의 10대에게 주문하고 싶다.
무엇을 시작하든, 무엇을 배우든 성취하는 것에는 과정과 단계가 있다. 멀리 있는 목표를 늘 주시해야 하지만 눈앞에 있는 작은 것들 또한 최선을 다 해야 결국 목표에도 다다를 수 있다.

어떤 방향으로 가든 그 성장 과정 속에서 작고 성실한 습관들이 쌓여, 하고자 하는 일의 바탕이 되고, 탄탄한 길이 되고, 힘이 된다.

습관이란 처음에는 마음에 따라 조절할 수 있지만 점차 뿌리를 깊이 내리고 자라면 마음대로 되지 않는다. 어린 10대에는 나쁜 습관은 처음부터 뿌리를 뽑고, 좋은 습관은 큰 나무로 자랄 수 있도록 잘 키워야 한다. 좋은 습관은 인생의 든든한 베이스가 되어 줄 것이기 때문이다.

10대의 나에게 좋은 습관을 갖는 것이 가장 중요하다고 말해주고 싶다.
마지막으로 인상 깊었던 영국의 작가 존 드라이든의 명언을 하나 남겨본다.

“처음에는 우리가 습관을 만들지만 그다음에는 습관이 우리를 만든다.”

젊은이들에게 해주고 싶은 이야기
은퇴 후 인생의 삶이 더 행복하다

최 개 헌

사전적 의미로 은퇴(隱退)는 의미는 노후, 또는 특정 직업에 맞지 않는 나이에 도달했을 때 좋든 싫든 간에 직업에서 물러나는 것을 말한다고 본다.
흔히들 법률이나 근로계약에 정해진 일정한 나이에 달하여 은퇴하는 경우, 그러한 나이를 정년이라고 한다.

나 역시도 직장에서 퇴직 나이가 다가올 무렵 은퇴후에 대한 많은 고민도 했었다.
그러나 그런 고민은 기우(杞憂)에 지나지 않았다.

지금은 퇴직후의 자유로운 새처럼 내가 하고 싶은 일들을 찾아 현재까지 아름다운 삶을 살고 있다. 가만히 생각하면 지나간 삶은 여정은 결코 쉬운것만 아니었다 고생스럽고 슬프고 화가났던 일들이 더 많이 생각나는 것이 인생인 것 같다.

퇴직후의 삶은 또 다른 세계의 삶이다. 자유, 시간에 대한 구애 없이 생활 할수 있고 보람된 일들은 찾으면 할 일도 많아 나는 은퇴후 생활이 더 행복하다고 생각하다.

2

인생질문

20대의 나에게
해주고 싶은 말

용기 있는 선택에 위로와 박수를

김 모 니 카

대학 생활은 화려했지
원하는 대학 편집부에서 취재하고 글을 쓰고 책을 만들고
그 힘으로 여학생장에 도전도 해보았지
다시 삶을 되돌릴 기회가 있다면 나는 서슴없이 20대를 선택할 거야
그만큼 20대는 많은 변화에 많은 기회가 주어지기 때문이지

성실함과 배려심 넘치는 남자와 사랑에 빠졌고
아버지의 반대를 무릅쓰고 준비되지 않은 결혼을 감행했지
어쩌면 철없는 선택일 수도 있고 무모했을지도 몰라

결혼이 아니라 대학원을 선택했다면
출산이 아니라 경력을 선택했다면
다른 삶을 살았을 수도 있었겠지
왜 20대의 내가 아쉽지 않겠어
왜 그 많은 기회가 아깝지 않겠어
하지만
지금의 평범하고 소소한 행복이 그날의 선택 덕분임을 알아
결혼을 선택할 때
책임져야 할 것들에 다짐했던 것처럼
내게 주어진 현실에 최선을 다했어
남편을 사랑했기에 그의 부모를 사랑했고
가장 어여쁜 아기를 얻었고
가난도 불편함도 힘듦도 마냥 행복했었지

20대는 아름다웠고 화려했어
그걸 뒤로 선택했던 결혼
세상에 빗대어 얘기하자면
내 결혼은 어두운 터널의 입구였을 거야
하지만 세상의 잣대와는 상관없이

내 삶을 송두리째 바꿔버린 내 용기에, 내 선택에
나는 박수를 보낸다
힘들었던 20대,
나에게 위로를 보낸다
참 애썼고, 참 잘 했다

20대의 나를 회상하며…그때의 나에게
무모하지만, 열정적으로 그리고 열심히 최선을 다했던 나의 20대…..

김 영 통

나는 20대에 최선을 다해서 살았다!
무모(無謀)하지만, 열정적으로 그리고 열심히 최선을 다해 살았다. '카오스 혼돈의 시기'를 거쳤다. 불투명한 미래와 진로 그리고 사회인으로 첫발을 내딛고, 경력설계에 대한 고민까지 나의 정신과 육체는 몹시도 피곤한 20대이었다. 그래도 난 최선을 다해서 살았다.

그때의 나에게,
네가 좋아하는 걸 하지... 아니, 무얼 하고 싶은지조차도 몰랐지?

서울에서 태어나 한 번도 서울을 벗어나 본 적이 없는 나는 강원도 그것도 원주라는 오지(그 당시 영동고속도로는 2차선)인 OO대학교 직장, 컴퓨터에 매달려 긴장 속에서 20대의 밤을 하얗게 지새우고, 학생들과 씨름하고... 나는 많이 지쳐갔지. 몇 번이나 서울로 돌아가려고 짐을 싸고 또 풀고...'번 아웃...', 이 상황을 극복하여야 한다는 압박감, 너무나도 변화무쌍한 20대의 삶. 사회적 시선을 의식했지.

다시 20대로 돌아간다면,
나는 타인의 시선에서 벗어나 혼자 있고 싶어. 잠깐이라도 나를 돌이켜보고 생각할 시간이 필요해. 내가 좋아하는 일과 하고 싶은 일을 구분하고 싶어. 그리고 좋아하는 일 위주로 인생의 방향을 설정하고 싶어. 혼자만의'고독의 달콤함'을 즐기고 싶어. 명상의 시간과 내면의 나를 만나는 시간을 통해 온전히 나만의 시간을 갖고 싶어. 진짜 좋아하는 것을 찾았어야 했는데..

"지금 알고 있는 것을 그때도 알았더라면..."
그때는 최선이었지만 돌이켜 보면 후회되는 일이 많다. 말과 행동이 일치하지 않았고, 편견이 많았다. 해야 할 것만 했지 정작 내가 하고 싶은 일을 하지 못했다. 그래도 열심히 살았다. 좌절하지 않고 슬기롭게 극복하고 스스로를 잘 이겨냈다.
지금 내가 20대의 너를 바라보면 안쓰러워서 눈물이 쏟아질 것만 같지만 너의 용기 그리고 자신감, 능력에 큰 박수를 보내고 싶다. 괜찮다. 괜찮다. 잘 살았다. 그리고 수고 많았고 애썼다!

잘 사용하면 성장의 시기지만 잘못 사용하면 침몰의 시기인 20대

김 영 희

5월이다. 산과 들, 천지만물이 푸름으로 가득가득 차올랐다.
80년대를 건너던 나의 20대를 계절에 비유하면 아마도 5월이 아닐까 생각한다. 생에서 가장 푸르고 활기찬 20대, 성인이 되었음을 스스로 인지하고 자신의 시간을 잘 관리해야 하는 20대를 어떻게 건너왔는가 생각해 보니 가슴이 출렁거린다. 부모님보다 친구가 좋고, 공부보다 낭만이 좋았던 그 시절, 그럼에도 불구하고 나는 내 인생의 관리자니까 모든 감정은 접어놓고 미래에 대한 설계를 탄탄하게 세워야 했던 시절이었구나.

돌이켜보니 20대는 얼마나 많은 유혹과 허방이 있었는지 모르겠다.
빛이 눈부셔서 어둠을 보지 못했던 시기인 것 같구나. 가장 밝은 빛으로 시야를 가리는 건 아마도 이성에 대한 관심과, 사랑이라는 매력적인 단어가 아닐까 생각한다. 너 역시도 사랑에 눈이 가려지고, 사랑이 무언지도 사실 모르면서 달콤하고 말랑한 감정을 사랑이라 정의했었지.
초여름의 계절은 온통 초록으로 부풀어 오르던 시절이었지. 어느 것 하나라도 꺼내들여다보면 초록물이 뚝뚝 흘렀던 20대. 그 꿈들 속에 두 아이가 연년생 선물로 찾아왔지. 가정이라는 울타리를 세우고 그 안에 웃음을 꽃피우기 위해 너는 생애 최초로 노력이라는 단어와 인내라는 단어를 가슴에 새겼었구나.

엄마가 되었다는 그 말 뒤에는 사실 내가 나로 살 수 없는 아찔한 순간들이 숨어있었지. 그러니 그 선택에 책임을 지느라고 성숙되지 못한 지성으로 참 힘겨운 시간들이었겠다. 내 공간을 만들면 사랑만 먹고도 잘 살 수 있다는 생각 속엔 드라마틱한 반전이 숨어 있었지.
집안일은 하나 둘 늘어갔다. 독박 육아에 지치고, 며느리 역할과 아내 역할은 곧잘 오해와 불신을 조장했었다. 친정엄마와 시어머니의 언어는 달랐고, 남편은 오빠와 같은 남성이 아니라 또 다른 새로운 종의 사람이었다. 세상 속에는 불만과 부당대우와 억울함도 있다는 것을 처음으로 알았다. 참고 기다려야 하는 힘을 키워야 했다. 잘 견뎌내야 하는 단 한 가지 이유 속에는 엄마라는 이름이 버텨주는 덕분이었다. 먼저 세상을 배웠으니 내 아가들에게 세상살이를 가르쳐야 하는 엄마이기 때문에 몸으로 밀고 나가야 하는 낯선 세상이었다. 나의 엄마가 나에게 가르쳐 준 세상살이 방법을 나는 실천하고 있었다. 그때 나는 나로부터 잠시 떠나 있던 시절이었다.

십 년이라는 시간은 긴 시간이다. 나의 존재가 지워진 세상에서 십 년을 인내하며 살다 보면 마늘과 쑥만 먹은 곰이 어두운 동굴 속에서 아름다운 여자가 될 수 있는 시간이다.
가슴속에 큰 그림을 그리는 일은 현실적으로 쉬운 일이 아니어서 작은 꿈 하나를 심기로 했다. "틈틈이 글을 쓰자." "중도에 버린 꿈을 다시 찾아오자."
엄마와 아내와 며느리 역할 속에서 나름대로 '나를 만나는 시간'을 만드는 일은 작은 기쁨을 주었다. 찢어진 시간의 조각들을 퍼즐처럼 맞추면서 너는 20대라는 출렁다리를 건넜다. 비틀거리면서 흔들리면서도 조심히 건넜겠구나. 그것이 80년대를 건너는 여인들의 삶의 방법이었을 것이다.

아가들이 유아원에 가고, 좀 더 자라고, 엄마의 잔손이 가지 않아도 혼자서 조금씩 자신을 챙기는 시간이 주어지고 있었다. 그러나 시간의 공간이 생긴 반면 뒷받침을 해야 하는 부모의 역할이 그곳에는 웅크리고 있었다. 6남매 맏며느리에겐 남편이 벌어오는 돈은 내 편의 돈이 될 수 없었음에도 불구하고……
밤이면 글을 써서 각종 잡지에 투고하면서 돈을 만들기로 했었구나. 잘 쓰면 최우수상으로 대략 5만 원, 우수상은 3만 원, 좀 부족하면 가작으로 1만 원.
시댁에 다 드려야 하는 남편의 한 달 수입은 네겐 무용지물이었고, 운 좋은 달엔 공무원 박봉보다 너의 수입이 많을 때가 종종 있었지. 현실적으로는 돈이 된다는 것이 가장 중요한 요소였지만 약간의 원고료는 키우고 있는 꿈에 한 발짝 다가설 수 있다는 큰 의미를 지닌 재료가 되었던 시절이었지. 너는 과연 베이비부머 시대에 태어난 아이다웠다. 스스로를 세우는 자립심과, 주어진 역할을 수행하는 책임감이 강한 20대로 세상을 건너가고 있었다.

너에게 묻는다. 다시 20대를 살아간다면 넌 다른 선택을 할 수 있겠니?
아마도 그렇지 못할 것이다. 너의 성향은 네 인생을 예전처럼 그렇게 만들어가고 밀고 나가겠지.
요즘 20대는 참 현명하다. 자신의 의견대로 20대를 건너가면서 자신들의 시간을 잘 사용하고 있는 것 같아서 부럽기도 하고, 기성세대의 잣대만 들고 재보면 불편하기도 하다. 예전의 젊은이들은 어른들 말씀에는 무조건 긍정해야만 했다. 그래야만 가정교육을 잘 받은 양반집 자손이라는 사슬에 묶여 있었다. 불합리해도 하는 시늉이라도 하면서 마음을 다치고, 상처 입고 꿈을 접기도 했다. 다 지나간 세월 이야기지만 참 씁쓸한 일이다.

요즘 기성세대들은 젊은 청춘들과 의견과 생각이 달라도 '라떼' 라는 단어를 신경 쓰며 함구한다.
청춘들에게 사고와 행동의 자유를 준 것이다. 아름다운 일이다. 그러므로 청춘들은 자신의 사고와 행동, 나머지 인생살이에 책임을 본인이 지리라 생각한단다. 자신이 새긴 생의 무늬는 지울 수 없는 흔적이 되고 만다는 것을 정보가 풍부한 요즘 세대들은 잘 알 테니까.
이게 웬일이니? 라떼를 한 잔 마시는 지금의 나의 모습, 어느새 꼰대가 되어버렸구나.
미안하다. 청춘들아! 그리고 지나간 나의 청춘아!
20대를 잘 사용하면 성장하는 시기이고, 잘못 사용하면 침몰하는 시기라는 것을 이순 고개에 올라서니 알겠는데 그 시절을 다 사용하고 말았으니 이제는 후배들에게 전해주고 싶은 말이다.

스무 살의 랩소디(Rhapsody)

김 응 섭

여행은 마음을 설레게 하는 힘이 있다. 누구와 함께 어디를 갈 것인지 정할 때부터 마음이 설렌다. 챙기고 싶은 물건들이 많아지고 마음속으로 그리는 여행지 풍경들의 모습이 순간순간 바뀌는 것들로 인해 여행 가방의 여유가 점점 부족해진다. 상각지도 않았던 옷가지며 소품들이 자꾸만 늘어난다. 그래서 출발하기 전의 여행 가방은 늘 공간이 부족하다.
내가 스무 살의 여행을 떠날 때는 마음의 준비도 마땅한 여행 가방도 준비하지 못한 채, 남의 손에 이끌리듯 떠나는 부족한 출발이라는 생각이 늘 마음 한 구석을 차지하고 있었다. 대학에서 어떤 공부를 할 것인가? 무엇을 위한 공부를 할 것이며, 어떤 사람을 만나 어떤 모습의 나를 만들어 영원히 간직하고 싶은 사진을 남기게 될 것인지를 고민했다.

부족함은 걱정이 되기도 하지만 신중하게 선택하게 되는 이로움도 있다. 그런 마음의 덕분에 49의 부족함보다 51의 여유를 찾기 시작한 것까지 그리 많은 시간이 필요하지는 않았다.
대학 생활은 금세 익숙해 졌다. 친구도 많아지고 새롭게 시작하는 하루가 늘 부족한 시간의 연속이었다. '행동하면서 배운다'는 존 듀이(John Dewey)와 '자연으로 돌아가자'던 장 자크 루소(Jean-Jacques Rousseau)를 소환해서 그들의 이야기로 밤늦도록 막걸리를 마셔대기도 하고, 친구의 고민을 안주삼아 하룻밤 지새우는 일도 다반사였다. 주말이면 친구들과 함께 인근 산을 찾아 오르기도 하고, 계곡에서의 캠핑생활도 젊은 날의 하루를 채우기에 언제나 시간이 부족했다. 그렇게 학교생활이 쏠쏠해 질 무렵, 10.26의 소용돌이가 급습했다. 학교 교문이 닫히고 교문 안으로 장갑차가 등장했다. 총을 둘러멘 군인들이 입을 다문 채 경비를 서는 가운데, 우리는 짐을 챙겨 학교 밖으로 밀려 났다. 겨울보다 더 추운 날들이 숨죽여 지나가고 있었다.

해가 지나고 새 학기가 시작된 학원가는 진리를 탐구하기보다 자유를 갈망하는 외

침으로 가득했다. 대학 자율화의 바람이 진달래처럼 번지더니, 5월 장미의 계절에 정점으로 달려가고 있었다. '장미여, 오 순수한 모순이여, 기쁨이여'(Rose, oh reiner Widerspruch, Lust)라고 노래한 어느 시인의 묘비명처럼 수없이 많은 사람들이 5월을 떠나고 새로운 묘비명을 새기고 있었다. 새들의 노래도 울음으로 멍들어 하늘을 가렸다.

아픔이 흔적으로 새겨지는 동안 나는 또 다른 시작을 준비하고 있었다. 별도의 임용고사가 없던 시절이라 대학을 졸업하면서 얻은 교사자격증만으로 신규교사의 명찰을 달고 어린 친구들을 만나게 되었다. 권태응 시인이 '자주꽃 핀 건 자주 감자 파보나마나 자주 감자'라고 노래한 것처럼 산을 닮은 아이들은 마음의 늘 푸르렀다. 그들의 마음은 산 속의 옹달샘처럼 맑고 고요했으며 내 삶의 무게를 덜어주기에 충분했다. 학교 앞뒤로 펼쳐진 산을 오르내리면서 나보다 더 많이 알고 있는 아이들에게 산나물 교육을 받고, 마을 앞을 가로지르는 개울에서 물고기들을 잡으면서 '루소'를 되새기기도 했다. 그들이 주워 온 예쁜 돌에 그림을 그리고 이름을 적으면서 아이들과 함께 나를 만들어갔다. 등나무 아래에서 읽어주던 어린왕자가 내가 되기도 하고, 아이들이 써 온 일기장의 동시를 함께 읽으면서 그들의 마음을 읽는 나를 보기도 했다.

2년 반 반 동안 행복했던 학교생활이 한 장의 발령장만으로 전보되어 시내로 나오게 되었다. 시내라야 고작 인구 몇 만 명의 읍 소재지 학교인데도 분위기는 이전 학교와는 영 딴판이었다. 가지 많은 나무는 바람 잘 날이 없다는 할머니들의 말씀이 하루도 어긋남이 없이 맞물려 돌아갔다. 학급 학생들도 많았고 사건 사고도 많았지만 49의 어려움보다 51의 즐거움과 만족을 위안으로 삶을 포개어 나갔다.

시작은 늘 징검다리를 건너는 것 같은 설렘과 조바심이 상존한다. 똑 같은 학교생활이지만 함께 생활하는 선생님과 학생이 다르고 업무가 달라지면서 시작은 더욱 조심스러워 진다. 하지만 징검다리를 건너는 위험은 스릴(a thrill)과 만족감이 크다. 위험한 상황은 다른 사람들의 도움을 얻을 수 있는 계기가 되기도 하고, 그 도움으로 위험은 차츰 감소되며 친분한 관계가 만들어진다. 빈 자리에 새로운 만남이 자리잡기 때문에 허전함이 쉽게 극복되기도 한다. 나의 두 번째 학교는 그래서 더 빨리 적응이 되고 더 많은 사람들을 가슴에 담는 기회가 되기도 했다. 그 중에 한 사람이 나의 아내가 되었다.

아내가 되기 전의 그녀는 단아하면서도 적극적인 성격으로 주위의 칭송이 많았는데, 나는 그녀를 내 마음에 담기를 주저했었나 보다. 선후배들의 모임에 자주 동행을 하면서도 마음 쓰지 않았던 것처럼 행동한 것은 아마도 내 소심한 성격 탓이리라. 반년이란 시간동안 마음 밖에 있던 그녀가 흰 눈이 내리던 겨울 어느 날, 한 잔의 커피 향과 함께 내 마음에 들어왔다.

늦은 퇴근을 하고 지인들과 함께 차를 마시면서 마음을 나누었고, 사람들의 눈을 피해 숨바꼭질 같은 데이트를 즐겼다. 벚꽃이 활짝 핀 달밤에 바람이 불면 눈처럼 흩날리는 무수한 꽃잎들을 바라보면서 사랑을 키워갔고, 가로수의 노란 은행잎이 흰 눈에 가리어질 때도 늘 함께 했다.
그런 만남이 결혼으로 이어지고 일 년 뒤 큰 아들이 태어났다. 가족의 힘은 위대하다. 보이지 않는 힘의 원천이며, 절대적인 지원자다. 삶의 힘이 커지면서 용기가 생기고 주저함이 사라지게 된다. 다른 사람들로부터 보고 배우는 교육이 아닌 내가 설계하고 아이들과 함께 만들어가는 교육활동을 시작하게 된 것도 이 때쯤으로 기억된다. 가족이 생기고 새로운 교육활동으로 나의 삶이 확고해지던 내 20대의 마지막 여행이 끝나 갈 무렵, 여행을 설계하던 때보다 더 큰 가방을 준비하고 있는 나를 발견하고 스스로 대견스러워 했다.

앞으로 나아가기 위한 비밀은 시작하는 것이다. 지금 시작하지 않으면 이십 년, 삼십 년 후에 지금 내가 하지 않은 것으로 많은 실망과 후회를 하게 될 것이다. 열정으로 산 오늘의 삶이 훗날 누군가는 '라떼'(나 때는 말이야~)의 하루가 되겠지만, 두려워하거나 회피할 하루가 아님을 직시한다면 당당한 오늘의 삶을 살아야하지 않겠는가? 스스로 되묻곤 한다.

많은 여행을 통해 세상을 향한 눈을 열어라
다양한 문화를 접했다면 나의 인생은 달라졌겠지

민 정 숙

"세상을 보는 가장 좋은 방법은 여행하는 것이다."라는 말이 있다. 여행은 인생에서 매우 큰 의미를 갖는데, 여행을 통해 새로운 경험과 통찰력을 얻을 수 있고, 삶의 가치를 더욱 깊게 이해할 수 있기 때문이다.

"여행은 당신이 떠나기 전과 후의 삶을 나누는 경계선이다."라는 말도 있다. 이는 여행을 통해 일상에서 벗어나 새로운 자아를 발견하고, 자신의 성장과 발전을 도모할 기회를 가질 수 있다는 뜻이다.

나의 20대는 여행이 자유롭지 못했다. 당시만 해도 혼기를 앞둔 다 큰 여자가 어딘가를 여행한다는 것이 일단 부모님의 허락을 받기도 어려웠고, 나 자신이 홀로 여행을 떠날 만큼 담대하지도 못했다. 20대 후반까지 외국여행은 법적으로 자유롭게 갈 수가 없는 시대였으니 논외로 하더라도.

20대 후반에 결혼을 한 나는 직장생활에, 시부모님을 모시고 아들 둘을 양육해야 하는 처지였기에 어딘가로의 여행은 생각하기도 어려웠다. 변변한 여행도 못하고 바쁘게만 살던 나는 2002년에 처음 중국 연변조선족자치주 훈춘시로 해외여행을 떠났다. 속초에서 동춘호라는 배를 타고 밤새 동해를 항해하는데 마음은 배보다 더 빨리 노를 저어 나아가는 느낌이 들 정도로 무척 설레었던 기억이 새롭다.

첫 해외여행 후 대부분의 국내외 여행은 남편과 함께 떠났다. 국내로는 부산, 남해, 속초, 제주도 등을 다녀온 인상이 강하게 남아있고, 국외로는 중국 북경, 상해를 비롯해 일본 도쿄, 후쿠오카, 대마도 등을 다녀왔고, 유럽도 어지간한 나라는 한 번씩은 여행을 했다.

국내여행을 하면서 느끼는 바도 많지만 아무래도 낯설고 물설은 해외여행에서 받는 문화적 신선함은 뇌리에 각인되는 바가 크다.

유럽에는 무슨 성당이 그리도 많고, 무슨 박물관이 그리도 많고, 무슨 조각상이나 그림이 그리도 많은지 나는 아무리 봐도 그게 그거 같았다. 중국에서는 언필칭 대국에 걸맞는 엄청난 인파와 어마어마한 규모의 유적지, 넘쳐나는 물산으로 기가 질리기도 했다. 일본은 아기자기하지만 맛깔나는 음식과 친절한 사람들 그리고 깨끗한 거리들과 화장실이 내 마음을 끌었다.

나는 여행을 통해서 말이나 책으로만 접했던 여러 사실들을 눈으로 확인하면서 느끼는 바가 많았다. 다른 나라 사람들의 우리네 삶과는 다르게 사는 방식의 합리성에도 수긍이 가는 점도 있었다.

남은 인생은 형편이 닿으면 세계 각지를 여행하고 싶다. 가서 새로운 세상을 좀 더 느껴보고 싶다. 나도 여행을 한마디로 정의하고 싶은 충동이 인다. 여행은 나의 스승이다.

격동의 1980년
영등포여자상업고등학교를 졸업 한 해.

오 선 민

1980년.

스무 살.

1979년 12.12 사태 후 전두환이 대통령에 취임하면서 여러 가지로 나라가 어지러웠다.

취직을 해야 했던 나는 취업이 어려웠고 제2 오일 쇼크로 인해 우리나라의 경제도 힘들어졌다.

광화문과 종로 일대에는 매일 데모하는 대학생들 때문에 최루탄 가스가 도로를 덮었고, 나는 나대로 부모님이 대학 등록금 대주면 공부나 할 것이지 데모는 왜 하느냐고 속으로 욕하면서 다녔던 기억이 난다. 5.18 사건이 나고 성당에서 신부님이 미사 시간에 떨리는 목소리로 말씀해 주시던 기억도 난다. 곧이어 삼청교육대라고 해서 많은 사람들이 잡혀가고 연일 뉴스에서는 데모하는 모습이 보였다. 박정희 정권이 끝나고 제5공화국이 들어서면서 살벌한 하루하루를 살아가고 있었다. 당시의 나는 정치도 모르고 경제도 몰랐다. 그저 최루탄에 눈물 범벅이 되는 게 싫을 뿐이었다. 늦게 대학 공부를 하면서 왜 그때 학생들이 데모를 했는지 알게 되었지만 그 당시에는 이해할 수 없었다. 만약에 내가 그때 대학생이었다면 데모대의 맨 앞에 서서 투쟁하는 학생이 되었을지도 모른다. 시대적인 상황과 개인사가 맞물리면서 불행한 시대를 살지 않았나 생각해 본다.

25살.

결혼을 했다.

20대의 나에게는 할 말이 없다. 결혼을 왜 했느냐고 나에게 묻는다면 아마 현실도피 아니었겠냐고 대답할 것 같다.

그래도 잘 한 결혼이고 큰 딸을 낳은 것도 잘 한 일이다. 그런데 아이를 두 번씩 잃는 아픔도 겪었다. 누구보다 아이를 좋아해서 2남 2녀를 낳겠다는 포부도 있었는데......

1980년 대는 기억하고 싶지 않다. 다시 돌이켜 보고 싶지 않다. 막막하고 두렵고 희망이 없었던 시절이었으니까.

불안한 나라처럼 나의 20대도 불안했고, 불안정했고, 불편했다.

그래서
20대의 나로 돌아가라고 한다면 No, thank you~!
No~~~~!!!

만남과 인연으로 꼬아놓은 외줄을 탄 위태로웠던 나의 20대

모든 인연은 우연이란 없다, 반드시 의미가 있다.

이 명 재

노란 숲 두 갈래 길, 사람의 자취가 없는 길을 선택했고, 먼 훗날 그것 때문에 모든 게 달라졌다고 말한
어느 시인의『가지 않은 길』은 그래도 선택의 여지는 있었구나 하는 생각을 하게 된다

"로버트 프로스트"가 두길 중 하나를 선택했기 때문에 모든 게 달라졌다고 말했지만, 내 앞에는 선택의 여지가 없는 길이 놓여 있었다.

선택의 여지가 없는 한 길을 가면서 사이 길로 빠져 몇 번이나 다른 길로 돌아갔다고 말하는 게 맞다.

길목마다 나를 부르는 부드럽고 섬세한 산들바람, 때때로 숲을 헤집고 들어오는 거부할 수 없는 강렬한 햇
빛, 시기를 맞춰 적당히 내리는 이슬, 이 모두가 나와 인연이 되어 오랫동안 행운이 함께 했다고 생각 한다.

아침 이슬을 머금은 청초한 야생화를 보며 걸음이 더뎌지기도 했고, 새싹부터 단풍이 될 때까지 긴 시간을 들녘에서 함께 서성이기도 했던 싸한 흔적을 남긴 아스라한 기억들,
모든 만남은 우연히 마주친 게 아니고 충분한 의미가 있다.

20대의 맑은 영혼들이 나눈 대화는 일생을 지니고 다니는 것 아닐까?

그 맑은 영혼들이 모여 만남을 만들었고 여기에
인연을 더하여 세월의 물레로 꼬아 만든 외 줄 위에 올라 곡예 같은 20대를 보냈다.

나의 20대는 두 가지 다행인 것이 있다.

첫번째는 헤게모니의 그늘에서 그것이 당초부터 내 것이었던 듯 취해 살았다.

다시 말하지만 헤게모니의 그늘은 오늘날까지도 내겐 상당한 힘이 되어 준다.

무딘 연장 같이 세련되지 못함도 곱게 봐주고, 하늘 밑에 혼자인 나를 보듬어 옆에 놓고 살뜰이 챙겨준 형보다 더 형 같은 사람들, 내 아픔을 대신 앓아 입술이 터지도록 감내해 준 아버지 보다 더 아버지 같았던 사람들·····
결과 하나 둘 나를 향한 시선들이 부드러워지고 곁을 내주는 사람이 늘어나면서 나는 세

상이 꽤 만만하고 살만한 세상이라 스스로 거만한 결정을 했던 것 같다.

본성을 숨기지 못하는 촌스러움은 굽이굽이 위기 때마다 기회가 되어 주었다.

불의를 싫어하는 나의 본성에 그들은 극히 내가 만족스러웠을 것이고, 그들이 느끼는
대리 만족을 바라보며 나는 나름
우월감을 느꼈을지도 모르지만, 어쨌든 그 마약 같은 중독성에 취해 살았던 것 같다.

한참 지난 후 알아차린 일이지만 홉스가 사회계약론에서 말하는 것처럼 어쩌면 위임된 헤게모니를 가졌던 자의 그늘에서 자투리 힘이 내 것인 양 착각했던 날들이었다는 걸 알았다
.

대부분이 그렇듯이 자기 자신을 알고 살아가는 사람이 몇이나 될까?
세월 위를 유유히 흐르는 강물은 배가 크던 작던 그냥 흘러야 하는 운명을 가졌다.
내가 탔던 배가 어떤 배였던 상관없이 시간에 상관없이 강물은 지금도 흐른다.
결국 내가 지나 온 강은 지금도 그냥 잔잔히 흘러가는 강물일 뿐이었다.
지금 생각해 보면 반항하지 않고 순순히 흘러주었던 그런 것들이 불편하다.

지금도 나는 맞지 않는 옷을 입고 나선 것처럼 그 강물에 대하여 미안함을 느낀다.
지금 20대인 그를 만난다면 **『네가 타던 만남과 인연의 외줄은 가장 위험한 줄이었다.
지금까지 네가 무사한 건 인연과 만남을 맑은 영혼으로 맞아 변함없이
간직했기 때문이다.
네겐 불편하고 어설프지만 말없이 흘러준 강물에 감사하라』라고 말해 주고 싶다.**

두 번째 일찍 알게 된 **금전과 숫자에 대한 생각**이다.
숫자가 금전으로 의미가 전환될 때는 재산으로 보통 사람은 알고 있을 것이다.
이 시기 나는 숫자와 금전에 대한 생각이 다른 사람들과 조금 달리 정립되었다 생각한다.
내가 갖은것이 많아서도 아니고 생활하기에 불편을 느끼지 않을 만큼 부유한 것도 아니다.
내가 가지고 다닐 수 있는 만큼의 재산이 내 것이란 거다.
100억 원의 현금이 있다고 해 보자, 그건 재산이 아니고 숫자에 불과하다.
언제가 그 숫자는 다른 사람들 사이를 옮겨 갈 그냥 수인 것이다.
내 소유의 재산은 주머니에 넣고 다니는 몇 장의 지폐가 진정한 재산이란 걸 깨달았다.
자유롭게 소비할 수 있는 만큼의 금전이 내 재산이지 그 외는 그냥 수에 불과하다.
이 생각이 20대 나를 맑게 살게 해 준 원동력이고 위험에서 벗어나게 해 준 것 같다.
『재산이든 숫자든 그것에 의존해 살았다면 너는 지금보다 훨씬 더 불행했을 거다』

주제를 바꾸어

"메이 리"라는 CNN의 한국 최초 여자 앵커가 있다고 한다.

그는 "열정적으로 한 우물을 파라" 는 책(자서전)을 썼다고 한다.

눈앞에 보이는 더 나은 길을 위해 4번씩이나 길을 바꾼 나에게 잘 못 됐다고는 못하겠지만 , 최소한 아무 거리낌 없이 바꾸지 말고 신중했어야 했다고는 말하고 싶다.

만일 처음 우물을 열정적으로 팠다면, 느리게 갔을지는 몰라도 돌아 돌아 간 결과나 큰 차이가 없고, 굽이 마다 남겨놓은 아픈 흔적으로부터 자유로웠을 수 있지 않을까?

그때 나를 다시 만난다면 주어진 원래의 길을 불만 없이 그냥 가라고 말해 주고 싶다.

수많은 사람과의 부대낌에서 부서지고 닦여지고 연마되다 보면, 마지막 어느 순간 보게 되는 내 모습이 기

괴하고 낯설지는 말아야 한다는 것이다.

태풍이 지나고 보면 곧고 큰 나무나 큰 건물은 모두 쓰러져 있고, 작고 보잘것없이 잘 휘어진 나무가 살

아 남아 훗날 가장 아름다운 괴목이 되더란 것이다.

명확하지는 않지만 같은 우물을 열심히 팠더라면 지금 바라보는 내 모습이 낯설거나 불편해 보이지는 않 았을 것 같다는 것이다.

다시 20대의 그 녀석을 만난다면 『**같은 우물을 열정적으로 파라!**
조바심 없이 기다리는 그 시간이 가장 행복한 시간이다』**라고 말해 주고 싶다.**

정신 차리라고 따끔한 충고를 하고 싶다.

지금 최선인 것이 영원히 최선은 아닐 수 있으며, 세상은 참으로 변화롭고 유동적인 거다 라고......

20대의 나에게 해 주고 싶은 말

정 향 분

20대의 나에게

20대의 나는 음악교육과에 진학해 성악 공부에 많은 집중을 쏟았다. 늘 예술관 연습실에서 노래하며 시간을 보내며 음대 몇몇 학우들과 소규모 연주활동도 열심히 했다. 대학합창단과 중창연주 활동도 하고 때로는 봉사활동으로 노래를 하며 열정적으로 공부했던 것 같다. 전공과 관련된 것 외에는 관심을 갖지 않는 소심한 대학생활을 이어가다보니 대학생 동아리와 같은 다른 활동들은 많이 하지 못했다.
아쉬움이 많았던 20대의 나에게 해 주고 싶은 말이 있다.

많이 도전하고 다양한 경험을 쌓아라!

20대에 중요한 것은 이루고 싶은 꿈을 향해 끝없이 도전하고 많은 다양한 경험을 쌓는 일이라고 생각한다. 다양한 것에 도전하고 실패하는 경험을 통해 세상을 알아가고 성장할 수 있다.
때로는 성공하고 실패하는 그 과정속의 배움은 어떤 가치로 환산할 수 없는 소중한 자산이다.

특히나 내게 필요하고 중요하다고 느낀 경험에 대해 생각해 보았다.

경제관념을 가져라!
어린 시절 경제적으로 큰 어려움 없이 자란 나는 경제관념이 희박하고 절약하는 습관이 없었다. 대학시절에는 연주 아르바이트로 학생으로서는 큰 수입이 있었기에 여느 대학생보다 비교적 풍족한 생활을 했던 내가 결혼을 하고 어른으로 살아가면서 타인으로 인해 큰 어려움을 겪게 되는 경우가 생겼었다.
세상을 살면서 처음 겪어보는 경제적 어려움은 이루 말 할 수 없이 고통스러웠다.
한편으론 철이 없어 돈의 무서움을 몰라 겁 없이 지나갔는지도 모른다. 곧 해결이 되겠지? 라는 단순한 희망으로...
후유증은 아주 힘들게 오래도록 지속되었다.
20대부터 경제관념을 갖고, 공부하고 경험하며 미래에 대비하는 자세가 매우 필요한 것임을 절실하게 느끼게 되었다.

열심히 사랑하라!
20대 청춘에 관심 가는 것들에 충분히 관심 갖고, 바라보고 싶은 사람을 충분히 들여다보고, 사랑하고 싶은 대상을 충분히 사랑해야 미처 깨닫지 못한 내 모습도 들여다 볼 수 있고 내가 함께 할 대상도 잘 선택할 수 있을 것 같다. 이상과 가치관이 같은 곳을 향하는 대상을 만나는 것은 인생에 있어 매우 중요한 부분이라 느낀다. 충분히 보아도 분별하기 어려운 것이기 때문이다. 열심히 사랑하고 경험해 내가 마지막까지 사랑하고 싶은 대상을 잘 알아보는 혜안을 갖길 바란다.

꾸준히 운동해라.
인생에서 운동은 양치를 하는 것처럼 당연시되어야 한다고 생각한다.
몸이 건강하면 인생을 살아가면서 어려운 시간이 닥쳐와도 다시 시작할 수 있는 에너지가 생긴다.
꿈을 위해 도전하고 또 도전하려면 노력하는 정신력도 중요하지만 그 정신력은 건강한 체력으로부터 흘러나온다.
몸이 건강하면 정신력도 강해진다.

지금 생각해보면 젊고 건강한 시절이었기에 타인으로 인해 큰 어려움을 겪던 시절도 견뎌낼 수 있었던 것 같다. 나이가 들어가고 건강하지 않았다면 아마도 지금과 많이 다른 모습으로 살고 있을지도 모르겠다. 젊고 건강한 내가 있었기에 지쳐도 열심히 살아낼 수 있었다.
운동하는 건강한 몸은 건강한 정신을 만들어 주는 것은 물론이고 자신도 짐작하지 못할 큰 에너지를 만들어 준다. 삶의 원동력이 되어준다. 운동하라!

사람은 사람과 부딪히면서 성장한다. 무수한 사람들이 서로 부딪히며 나아가는 동안 우리는 조금씩 성장한다.
부딪히며 생기는 다양한 경험들을 통해 청춘은 단단해져 간다.
아무리 힘들고 어려운 일이라도 반드시 그 끝은 있는 법이다.
단번에 이루어지지는 않더라도, 끊임없이 자신에게 외치며 도전을 멈추지 말자.
20대 청년기의 다양한 도전과 경험이 꿈을 실현하기 위한 성장의 바탕이 되어 줄 것이기에...

20대의 성장도전기에 M. 스캇 펙의 명언을 되새겨 본다.

"진정한 사랑은 영원히 자신을 성장시키는 경험이다."

20대의 나에게 해 주고 싶은 말

최 개 헌

학창시절 어느 날 도서관 책속에서 발견한 좋은 글귀가 생각난다.
인간의 운명은 자신의 마음속에 있다는 어느 철학자의 말이다.
운명을 세상이 흘러가는데로 맡기는 것이 아니라 개척하고 싸워나가야 하는 것이다.
자신의 운명은 스스로 만들어 나가는 도전정신이 중요하다는 말이다.
행복은 순위도 학교의 성적순이 아니다라는 것을 어른이 되어서야 알게 되었다.
고등학교 성적이 좋지 못한 친구들이 큰 사람이 되는 것을 많이 본다.
이 사회는 성적순이 행복이 아니라는 것을 느낀다.
끊임없이 사회에서 노력하고 도전하는 친구들이 더 잘살고 성공을 한다.
사회에서 가치있는 일이면 무엇이든 시작하면 포기하지 말고 끊임없이 도전하는 정신이 중요하다. 인생을 살면서 만약에 20대로 돌아간다면 해 보고 싶은 것은

첫째, 배낭여행을 가는 일이다.
여행이란 일상에서 만날 수 없는 많은 일들을 경험하고 성장할 수 있는 최적의 장이다.
어떤 사람을 알려면 여행을 같이 가보라는 말도 있지 않은가.
여행은 느긋하게 여유로움을 느끼면서 할 수도 있지만, 생각지도 않았던 고난과 역경을 마주할 수도 있다. 어쩌면 인생도 그와 같은 급작스러운 돌발변수로 이루어져 있을 터인데, 여행을 통한 단련은 인생에 있어 한 뼘 더 성장할 수 있는 계기가 될 것이다.
시야가 좁으면 그만큼 좁은 인생을 살아간다.
넓은 안목과 유연한 사고는 돈 주고도 살 수 없다. 이십 대가 아니어도 여행은 가능하지만, 그때만 가능한 청춘의 아름다운 도전은 꼭 경험해 보면 좋겠다.
여행은 해외여행이든 국내여행이든 자신을 찾아가는 정신적 만족감을 얻는 여행을 좋다.

둘째, 남들과 다를 길을 가는 것을 두려워 말자
사람이 살다보면 자신과 맞지 않는 일들을 할때가 많아진다.
예를 들어 대학의 전공과 직업이 전혀 다른길을 가기도 하고 운명처럼 원하지 않는 사람과 만남도 있을수 있다.

고정관념을 깨는 건 쉬운 일이 아니지만. 나 자신에 대해 충분한 자신감을 가지자.
자존감을 높이 가지는 것은 매우 중요한 일이다.
어느 누구도 내 삶의 주체가 아니다. 나 자신이 살아갈 삶이고 그 삶은 유한하다. 자신을 충분히 사랑하고 충분히 믿자. 그러면 무엇인지 모를 그것에 끌려다니지 않고, 주체적인 나의 삶을 만들어 나갈 수 있을 것이다.

셋째, 배움에 아낌없이 투자하길
배움은 끈기를 배우는 것이며 20대의 젊은시절 소중한 시간 동안, 열심히 공부해 후회없는 시간을 보내고 싶다. 젊음의 배움에 대한 열기가 평생을 따라 다닌다. 책도 많이 읽고 어학공부도 많이 할걸 , 나에 대한 투자를 많이 했더라면... 하는 아쉬움은 정말 크다.
인생의 삶을 위한 밑바탕은 20대 초중반에 완성된다. 그 시간 동안은 아낌없이 투자하고 최대한 몰입할 수 있는 시간을 가져보길 바란다. 인생의 많은 것들이 달라질 수 있을 것이다.

마지막으로 건강관리를 위해 운동과 취미생활을 즐겨라
건강은 평생의 보물이다. 20대 때 건강한 습관을 형성하면 평생 건강한 삶을 유지할 수 있다. 예를 들어, 규칙적인 운동과 건강한 식습관을 유지하는 것이 중요하다.
취미는 스트레스를 줄이고 새로운 기술을 습득하는 데 도움이 된다.
등산하기 테니스 검도 기타 스포츠 등 새로운 취미를 찾아 열심히 하는 것이 좋다.

도전 "시작이 반이다." - 아리스토텔레스 -

3
인생질문

30대의 나에게 해주고 싶은 말

기억하니?

김 모 니 카

기억하니?
유독 딸기를 좋아하던 두 딸 덕분에 아침마다 마트와 시장을 나서야 했지
산책한다는 즐거움에 유아차의 작은 아이도 신나고 큰아이는 씩씩하게 걸었어
쌀쌀하든 뜨겁든 우리들의 걸음이 박자가 되어 노래가 흘렀지
지금도 그때도 왜 딸기는 그리 비싸니?^^
망설이며 제일 맛나지만, 작은 사이즈를 사는거야
당연히 앉은 자리에서 뚝딱~
다음 날 아침이면 또 사러 나가야했지 픕~
햇살이 우리 세 모녀를 간지럽히는 그 시간
우리만 즐겁고 행복했을까
알잖아, 세상 사람들이 우릴 바라보던 따스한 시선들

그날도 거실 가득 널려진 큰아이의 방학 숙제들
여름 방학을 보낸 사진들을 비닐 코팅하고 연결고리로 주렁주렁 달았어
두 딸이 재잘거리며 그 여름의 추억을 말하고 있었지
결국 아이의 숙제는 엄마의 숙제
엄마의 형편없는 솜씨여도 최고인양 바라봐 주던 딸들
세상에서 최고인 엄마

아이는 부모의 무엇을 골라 닮는걸까
다섯 살부터 드러나기 시작한 아토피는 아이가 10살에 이르자 거의 일상이 어려울 지경이 되었어
밤마다 아이 손을 묶어 재워야했고 아침이면 아이 이불엔 진물과 핏물이 엉겨 있었지
결국 선택한 치료는 면역치료
서울 병원으로 이틀에 한 번씩 감마글로블린이란 주사를 맞으러 갔어
돈도 돈이지만 아이가 견뎌야 했던 주사의 통증
감내하는 아이를 붙들고 참 많이도 울었네
다행히 아이는 서울이라는 낯선 도시를 마냥 즐겼어

무뚝뚝한 의사도 애교로 녹이고
병원 앞 김밥집 주인도 웃음으로 녹이고
매일 여행 가듯 지하철도, 고속 터미널도, 스치는 사람들도 재밌었지
어려움 속에서도
아이는 희망을 말하며 맑고 밝고…행복이었어

30대의 모니카야
학생들 수업하랴, 남편 수발들랴, 시부모님 챙기랴, 두 딸 키우랴
수고 많았다, 감사해

전교회장에 후보 등록한 딸
하교하며 현관으로 들어 온 딸을 향해 소릴 질렀어
이미 전교부회장이던 5학년 시절 학부모에 시달렸던 난
아이가 전교회장이 되는 걸 바라지 않았거든
참 나쁜 엄마지?
하지만 큰아이는 주변 아이들의 호응 덕분에 경쟁을 뚫고 당당하게 전교회장이
되었어
시골학교는 아이 덕분에 어머니 회장을 당연히 해야했지

내게 각인된 행복을 아이들도 기억해 주길 바래

30대의 나를 회상하며···그때의 나에게
그렇게 아버지가 되어간다...

김 영 통

나의 30대는 격랑(激浪)의 시기였다.
'관계의 변화와 소용돌이'속에서 격랑의 30대는 시작되었다. 결혼과 직장생활의 반목, '그렇게 아버지가 된다'라는 영화는 다큐멘터리 감독으로 유명한 고레에다 히로카즈가 아버지와 자식, 혈연과 시간에 대해 고민하며 만든 가족 영화이다. 나도 그렇게 아버지가 되어갔다.

그때의 나에게,
가장 멋진 나의 30대, 돌이켜 보면 격랑의 시기이었지만 그때의 나는 인생에서 가장 빛나던 시기였고 가장 젊은 날이었다. 얼마 전 나카타니 아키히로가 쓴'30대에 하지 않으면 안될 50가지' 라는 책을 읽었다. 내용의 핵심만 추려 30대의 나에게 들려주고 싶다.

다시 30대로 돌아간다면,
"30대, 인생의 진짜 승부는 지금부터다"
오랫동안 망설인 일을 오늘 당장 결정하자. 자신에 대한 확신이 있다면, 오늘 당장 고민의 사슬을 끊어라!

"책 속에서 길을 찾아라"
하루 한 페이지라도 책을 가까이하는 30대에게 세상은 더욱 폭넓은 기회를 제공한다. 앞으로의 사회는, 기회라는 것의 진면목을 제대로 알아보는 사람에게만 찾아오게 되어 있다. 책은 미래로 가는 데 있어, 그 행로를 정해 주는 티켓이며 안전 운행을 보장한다.

"삶의 모범답안을 거부하자"
세상은 순종적인 모범생이 아니라 반항적인 개척자를 원한다. 내가 하려는 일이 현실적으로는 모범답안이 아닐지라도, 미래 어느 날에는 좋은 선택으로 평가되리라고 믿는다.

30대야말로 자기 삶을 설계할 가장 적합한 시기다. 그동안의 삶이 성공적이었건 그렇지 않았건 관계없이, 그 모든 것은 내 자산이 될 것이고 모든 것을 바탕으로 더욱 구체적으로 미래를 그릴 수 있기 때문이다. 나는 내가 꿈꾸는 모든 것을 이룰 수 있고, 또 그렇게 되어야만 한다. 우리는 모두 성공하기 위해 태어났다. 지금 이 모든 것이 내가 30대이기 때문에 가능한 것이다.

실패해도 다시 돌아갈 수 있는 기회의 시기
젊은이들의 시간을 응원할 나이, 이순

김 영 희

얼마 전 친구가 물었다. 다시 태어나면 몇 살부터 시작하고 싶으냐고.
다시 태어날 수 있다면 30대부터 시작하고 싶다. 부모님의 지나친 관리(?)에서 어느 정도 벗어날 수도 있고, 나름의 수입으로 자유로운 소비도 즐겨보고. 그리고 지나온 시절 아쉬움으로 남은 다른 무언가를 시작해 보고 싶기 때문이다. 30대의 백미는 실패해도 다시 되돌아갈 수 있는 기회의 시기이기 때문이다.

그러나 너는 30대에 받아 든 길 위에서 이 길은 힘든 길이라고, 가고 싶지 않다고 생각하면서도 그냥 그대로 앞으로만 길을 갔구나. 되돌아 나와 새로 시작할 생각조차도 못 하고 우물쭈물하는 사이에 다 살라 먹은 30대. 나뭇가지를 타고 올라가는 개미처럼 가고 있었구나. 앞에 가는 개미가 길을 가면 그냥 앞만 보고 따라가는 것처럼. 개미는 결국 나무 꼭대기에서 돌아 나오는 길을 찾지 못해 추락하고야 말지. 잘못 들어선 길 위에서 타성에 젖어 아무 생각 없이 길을 걸어가고 있었구나. 돌아 나와서 다시 시작할 수 있는 용기도 없었고, 인생을 이렇게 길게 보지 못했구나.

지금은 이렇게 다시 한 번 가보고 싶은 시기인데 그때는 왜 그리도 30대가 힘겨운 시기라고만 생각했을까? 세상을 향한 정보도 많지 않았지만 조선시대의 가부장적 사상이 많이 남아있던 사회적 인습 때문이었을까?
'여자니까.' '여자는,' 여자이기 때문에 꼭 해야 하는 것과, 하면 절대 안 되는 것이 극명하게 구분되어 있었다. 내가 바라보는 세상, 내가 걷고 싶은 세상이 아니었지만, 내 앞에 열린 세상은 조선 후기쯤으로 타임머신을 타고 와 있었다. 내가 가족이라고 호적까지 옮겨온 시댁의 분위기는 그때 그랬다.

바꿀 수 있어도, 힘들어도 주어진 현실에 순응하며 팔자려니 건너야 했다.
왜 30여 년 전 그 시절엔 여자의 운명을 남자의 운명에 더부살이쯤으로 여겼을까? 처음 만나 인사를 나누는 자리에선 어김없이 "남편은 뭐 하세요?" "남편은 어느 학교 동문이세요?" "남편 고향은 어디예요?" 모든 기준이 남편에 의해 정해지고 남편에 의해 평가되는 것이 여자들이 짊어진 운명이었다.

지금 대한민국, 아니 전 세계의 문화는 전혀 그렇지가 않다.
내가 품고 내가 키워 온 아이들이 살고 있는 세상은 성 평등사회가 되었다. 이러할진대 왜 다시 30대로 가고 싶지 않겠는가......
여자이기 때문에 하지 못했던 자유와 권리를 마음껏 누려보고 싶다.
한편으로 지금 사회 분위기에 약간 당황스러운 마음이 자리하고 있는 건 내가 아직 21세기에 적응을 못하고 있는 것이 아닌가 하는 생각도 드는구나. 힘든 시기를 지나온 자의 시기 질투인지도 모르겠다만. 어쨌든 베이비부머 세대의 우리들은 고달픈 30대를 건너왔구나.

한창 푸름이 무르익는 6월이다. 초록이 짙어지니 먼 산이 가장 진한 색을 연출하는 여름의 시작이다. 아마도 가장 바쁘고, 가장 지치는 시기가 30대, 그때였던 것 같다. 할 일은 많고 시간은 부족한 시기였다. 그리고 30대에는 돈 쓸 일은 왜 그리도 많았었는지 지금 생각해도 숨 막히는 기억이다. 시부모님 용돈, 미혼인 시동생들 용돈, 일가친척의 대소사, 그리고 가장 많은 돈을 써야 하는 내 자식들 뒷바라지. 여유 있는 미소 한 번, 따뜻한 마음 한 자락 건네지 못하고 지나치고 말았구나

옛 어르신들께서 하시던 말씀이 지금도 귓가를 맴돈다. " 다리 성할 때 놀러 많이 다녀라."
이순 고개에 올라서보니 옛날 어르신들의 가슴을 읽게 된다. 지금처럼 시간과 경제적 여유가 있었더라면 어떠했을까? 옛 어르신들이 하지 못했듯이 아마도 우리 세대 사람들도 그 여유를 즐기지 못했을 것이다. 20세쯤엔 대개는 자립을 했고, 대학도 아르바이트를 하거나 스스로 학비를 마련하던 사람들이 많았기 때문이다. 고학생이라는 말들이 대학가에는 수두룩했으니.
요즘 젊은이들 중에는 캥거루족이 있다고 한다. 부모로부터 독립하지 못하고 3포니, 4포니, 무슨 벼슬처럼 이야기하는 것을 보면 놀라운 격세지감이다.

이제는 새로운 무엇을 생각해 보다가도 마음을 접는 시기가 되었구나. 하고 싶은 것도 많았지만 다 못하고 지나온 30대인데. 그때 그 파릇한 30대에 다른 길을 한 번 가보지 않은 것이 지금 이렇게 아쉬움으로 남게 될 줄 몰랐다. 그때는 주어진 모든 일을 스스로 해결해야 했기 때문에 '나중에 한번 해보지 뭐.'라고 스스로를 달랬었는데, 그 나중이 바로 지금인데 이제는 두려움이 앞을 가로막으니 모든 일들은 생각에서 생각으로 끝난다. 돌이킬 수 없는 시절을 꺼내보고 빙그레 미소라도 지어보는 것

으로 만족해야 시기이다.

미련만 남은 30대를 향해 그래도 할 일이 하나는 남아있구나.
한창 바쁘고 푸름이 뚝뚝 흐르는 30대들을 응원하는 일이다. 작은 손길 한 번이라도 건넬 수 있다면 30대를 지나온 어른이라고 자위할 수 있겠지. 그리하면 아쉬움으로 가슴 저리는 일보다 아름다운 시간이 되겠구나. 자, 밖으로 나가서 젊은이들이 하는 일에 먼저 손 내밀어 마주 잡고 "참 잘했다."라고 웃어 주기라도 하자. 먼저 지나온 길이니까 "그리하면 좋다."라고 응원해 주자.

스무 살의 랩소디(Rhapsody)
옥석(玉石) 가르기

김 응 섭

나이 서른이 지나면서 새로운 취미가 생겼다. 아주 우연한 기회에 마주하게 된 수석(壽石)은 이후 오랫동안 나의 무료한 시간의 벗이 되기고 했다.
교직에서의 2월은 만남과 헤어짐의 달이기도 하다. 인사발령으로 어수선한 달이기도 하고 새로운 학기의 준비로 바쁘기도 한 달이다. 당시의 인사발령은 본인의 희망보다 인사 발령권자의 재량이 큰 비중을 차지하기도 했다. 때문에 인사비리 문제도 심심치 않게 발생하기도 하고 인사의 불만으로 3월 한 달간 홍역을 치르기도 했다.
88서울올림픽이 성공적으로 끝나면서 우리 사회에도 많은 변화가 생겨났다. 그 중 하나가 자동차 문화였다. 올림픽 이전에 자가용이란 부의 상징이었고 성공한 대명사 중의 하나였다. 일반인 시각에서 자동차는 부러움의 상징처럼 여겨지던 것이 88 서울올림픽 이후 소위 말하는 마이카(my car) 시대의 문이 활짝 열리게 되면서 자동차가 일반화되기 시작했다. 전국이 일일생활권으로 바뀌게 된 것도 이때쯤으로 기억된다.

나도 이러한 시대의 기류에 편승해서 중고 자동차를 구입했다. 당시 전교생이 12학급이던 학교에 자동차를 가지고 있는 교직원이 고작 한두 명에 지나지 않을 때었으니 학교의 막내교사였던 나로서는 선배 교직원들의 빈축을 살 만도 했다. 나의 서른 살은 그렇게 새로운 변화와 함께 시작되었다.
자동차는 나에게 새로운 변화를 안겨주었다. 학교 만기로 이동하게 된 터에 인사발령을 맞이하게 되었는데 생각지도 않았던 3학급 분교로 발령이 났다. 이유인 즉 시내에서 출퇴근을 해야 하는 고령의 선배교사가 희망한 학교가 버스로는 출퇴근이 어려워 함께 출퇴근할 수 있는 교직원을 찾다보니 적임자가 나라며 함께 출퇴근할 수 있어서 배치를 했다는 변명을 합당한 이유로 설득을 당해야했다. 황당하고 억울하다는 생각이 들었지만 발령을 뒤바꿀 만큼 시대적 상황이 녹록한 편은 아니라서 수긍을 하고 근무를 함께 하게 되었다. 아이러니 하게도 채 한 달이 지나지도 않아서 함께 출퇴근하게 된 선배 교사 성품이 너무 좋아 그분과 함께 근무하게 된 것에 크게 고마워하기도 하였다.
3월 한 달 동안 이해하기 힘든 인사발령으로 상심하던 차에 만난 취미가 수석이었다. 가까이 지내던 선배님의 추천으로 만난 수석동호회는 내 삶의 여백을 새롭게 채색하는데 일조를 해 주었다. 수석에 문외한(門外漢)이었던 나는 매 주 토요일이면 어김없이 동호회 몇 분과 강을 찾았는데 마음에 드는 수석을 발견하기까지는 꽤나 많은 시간이 필요했었다.
수석은 두 손으로 들 정도 이하의 작은 자연석으로 산수미의 경치가 축소되어 있거나 회화적인 색채와 무늬가 조화를 이루고 있어서 소장하고 싶은 마음을 이끌어야 내 것으로 만날 수 있다. 하지만 강의 돌이 한 두 개도 아니어서 그 많은 돌중에 내 것으로 만난다는 것은 참으로 어렵고 힘든 과정이 숨겨져 있다.

수석 초기에는 빈손으로 오는 경우가 다반사였다. 하루 종일 돌밭을 거닐고 수많은 돌들을 만나 보았지만 마음에 드는 돌을 만나기 힘들었다. 설령 내가 마음에 드는 돌은 주웠더라도 이 돌이 수석으로의 소장 값어치가 있는 것인지를 분별할 수 있는 능력이 부족해서 함께 한 동호인들의 도움을 받을라치면 영락없이 퇴짜를 맞았다. 이것은 이래서 안 되고 저것은 저래서 안 된다는 이유를 들어 다시 강으로 돌려보냈다. 빈손으로 돌아오는 일이 많을수록 돌에 대한 생각도 많아졌다. 수석이 갖추어야 할 여러 조건들도 자연히 많이 알게 되었다. 시간이 지나면서 동호인들의 조언을 듣지 않아도 나만의 돌을 찾게 되었고 동호인들이 부러워하는 돌을 만나는 날도 많아졌다.

돌과 마주하는 마음도 바뀌게 되었다. 처음에는 너른 돌밭을 많이 돌아다니면 좋은 돌을 많이 만날 수 있다고 믿었는데, 시간이 지나면서 보이는 돌보다 보이지 않는 곳에 숨어있는 돌을 발견하는 묘미를 알게 되었다. 허리를 굽혀 돌을 자세히 보고 마음에 들이 않더라도 공손하게 자연으로 돌려보내고 있는 나를 보게 되었다. 돌과 나누는 대회도 차츰 많아졌다. 아쉬운 부분이 있는 돌을 만나게 되면 다시 돌려보내면서 나보다 더 좋은 사람 만나기를 바라면서 다른 돌 위에 반듯하게 놓아주고, 마음에 드는 돌을 만나게 되면 고맙고 감사한 인사를 나누면서 이야기를 주고받았다. 비단 돌과의 대화만이 아니라 상황에 따른 사람을 소환해서 돌과 비교한 대화를 나누기도 했다. 그런 시간이 많아질수록 내 마음이 편안해지는 보상도 덤으로 받게 되었다.

서른 중반 들어 유럽 몇 개국을 대상으로 교육 선진지 시찰을 할 기회가 있었다. 20여 명의 시찰단 중 거의 막내였던 나는 사진을 담당하게 되었는데, 당시는 지금처럼 휴대폰 기능에 사진 기능이 있는 것도 아니어서 필름카메라와 소형캠코더로 사진과 영상을 담았다. 방문지에 도착하면 먼저 앞으로 나가 일행의 움직임을 카메라에 담느라 바삐 움직여야 했고, 단체사진에다 개인 사진을 찍어주기에 바쁜 일정을 보냈던 기억이 난다. 귀국 후 사진 편집을 해서 비디오 테잎과 앨범을 만들어 나누어 주었는데 내 사진과 활동모습은 거의 보이지 않아 아쉬웠던 기억이 새롭다. 사진을 받아보신 어느 선배님이 나에게 고맙다는 마음을 담아 책을 선물로 보내 주셨다. 피천득의 '인연'이란 책인데 책갈피에 정갈하게 손으로 쓰신 편지가 마음을 푸근하게 했다.

「때론 잊었다가도 다시 떠오르는 순간 '아'하는 감동을 일으키는 그런 사람이 내게 있어 좋습니다. 살면서 사는 일이 시시하다가도 '아! 그랬었지'하는 느낌이 내게 있어 좋습니다. 12일 연수기간 동안 이런 좋은 사람을 만날 수 있었음에 감사드립니다. 남들보다 한 발 먼저 달려 나가는 모습에서 선생님의 멋진 미래를 볼 수 있었습니다. 선생님의 내일을 응원합니다.

나이 서른의 나는 참으로 많은 사람을 만났다. 그들은 한결같이 나를 조롱 밖으로 이끌어 주는 힘이 되어 주었다. 때론 응원으로 때론 힘찬 뉘우침으로 단단한 돌이 되기를 바라는 마음으로, 비와 눈을 맞으며 단단한 사람이 되기를 바라는 마음이셨으리라. 그 믿음을 저버리지 않으려 노력했던 내 삼십대의 삶은 단단한 옥석을 고르는 시간보다 옥석이 되어가는 나의 시간이 되지 않았을까 되물어보고 싶다.

"나도 너의 단단함을 응원해!"

바쁘다고 핑계대지 말고 열심히 공부를 하거라
더 많은 전문지식을 쌓았다면 지금의 나도 달라졌을 거다

민 정 숙

나는 공부를 많이 못한 거에 대한 일종의 후회감을 가지고 있다. 초중고 시절 학업성적도 뛰어난 편은 아니었고 직장생활을 하면서도 책을 가까이 할 틈이 별로 없었던 것도 사실이다. 틈이 없었다는 것은 핑계이고 아마 내 천성이 학문과는 거리가 먼 탓일 수도 있겠다. 그리스의 철학자 아리스토텔레스는 '공부는 인생의 가장 좋은 친구이다'라고 했는데 공부가 내 친구였다고 생각되는 기억은 별로 없다.
나는 교사 생활을 시작한 지 5년 정도 됐던 20대 후반에 결혼을 했다. 결혼 후 아들 둘을 출산했으니 나의 30대는 학교일에 아들 둘을 키우랴 시부모님을 모시는 일 등으로 인생에서 가장 바빴던 시기였다. 정말로 하루종일 발을 동동 구르기 일쑤였다. 너무나 바쁜 일상이었지만 나는 방통대에 편입을 했었다. 뭔가 더 배우고 싶은 욕구도 있었고 많은 선생님들이 교사 생활을 하면서도 열심히 공부를 하는 거에 자극을 받기도 했다.

그러나 방통대 공부를 지속하기에 내 주변환경이 녹록지 않았다. 학과 공부를 따라가기 위해 밤잠을 설쳐가며 노력을 하기는 했는데 공부할 시간이 절대적으로 부족했고 방통대를 정상적으로 졸업하기가 그리 만만하지도 않았다. 중간고사, 기말고사 때만 되면 왜 자꾸만 집안에 일이 생기는지 야속하기도 했다. 결국 불가피한 사정으로 중간고사를 한 번 결시하니 학과 공부를 계속할 의욕이 사라졌고 졸업도 못하게 됐다.
지금 생각해도 30대에 방통대 학업을 마치지 못한 것은 큰 후회로 남는다. 어른들께 사정을 얘기하고 학과 공부를 좀 더 열심히 하고 시험도 정상적으로 치렀으면 지금의 나도 달라지지 않았을까. 보다 전문화된 지식으로 교사 생활에 임했을 테고 방통대 전공 학과와 관련된 분야에서의 경력을 쌓는 계기도 될 수 있었을 텐데 하는 아쉬움이 생긴다.
공부에도 때가 있다고들 흔히 얘기한다. 맞는 말일 수도 있다. 그러나 공부는 배우겠다는 의욕만 있으면 언제든지 도전할 수 있다. 어찌 학과 공부만 공부이겠는가. 이 세상 모든 일은 도전할만한 가치가 있다고 생각한다.

30대에 방통대 학업을 중도 포기한 것이 훗날 나에게는 큰 경종이 됐다. 무슨 공부든 일단 시작하면 끝을 봐야 한다는 생각을 굳게 다지게 하는 응고제 같은 역할로 작용했으니. 그래서 유화도 배웠고 바리스타 자격증도 1급까지 포기하지 않고 취득할 수 있었다.

'열심히 배우는 사람은 지치지 않는다'는 말이 있다. 앞으로 뭔가를 더 배우는 기회가 온다면 즐거운 마음으로 끝까지 해낼 각오다. 다음 내가 도전할 공부는 무엇이 될까.
어떤 분야가 내 관심을 끌지 아직은 모르겠지만 반드시 목표로 한 바를 이룰 것이다.

아들이 그렇게 좋아?

오 선 민

1991년 12월 30일.
그렇게도 원하던 아들을 낳았다.
나는 왜 아들을 원했었는지 모른다. 남존여비 사상에 물든 것도 아니고 남아선호 사상을 가지고 있는 것도 아니었는데 왜 그리도 아들, 아들 했는지 지금 생각해도 우습다. 아마 내가 맏며느리라 집안의 대를 이어줘야 한다는 책임감 때문이었으리라.

내가 아들을 낳기 위해 노력한 것은 참으로 많다. 수술 후 병원에 입원해 있을 때, 옆 침대 산모가 미역국을 안 먹고 내놓는 것을 보고 내가 먹은 일. 또 궂은일을 많이 하면 아들을 낳는다는 옆집 아주머니의 얘기를 듣고 더러운 쓰레기장을 청소한다거나, 남의 집 더러운 구석을 찾아서 청소를 한다거나. 생각해 보면 나도 무던히 애를 썼던 시절. 아들 둘 낳은 아주머니가 자기는 아이를 가졌을 때 마른오징어가 그렇게 먹고 싶어서 시어머니 몰래 사다가 장롱에 넣어두고 먹었다는 말을 듣고, 나도 그 길로 바로 마트에 가서 마른오징어를 사다가 장롱에 넣고 먹은 일은 지금 생각해도 웃음이 나온다. 30대의 나는 원하던 아이를 낳아 모든 정성을 들여 아이를 키우던 시절이다.
딸이 유치원을 가고, 아들이 무럭무럭 자라고. 행복한 시절이었다.
1994년 10월에 원주로 이사를 왔다.

처음 원주로 이사를 왔을 때 아는 사람도 없고 친구도 없고 정말 막막했다.
다시 서울로 이사를 가고 싶은 마음에 매일 밤마다 신랑한테 도로 이사 가자고 졸랐다. 그런데 시간이 지나면서 친구도 사귀고 딸의 학교 학부모 모임도 나가고 그러다 보니 점점 정이 들었다.
친정엄마와 여동생 식구들과 모두 모여 여행도 자주 다녔다. 해마다 여름휴가철과 연말이면 다 함께 모여 캠핑도 가고 해돋이도 보러 다녔다.
내 인생에 있어서 제일 봄날이 바로 30대 시절이 아니었나 생각한다.

공기, 물 좋은 원주에서 사랑하는 아이들과 남편과 함께 정말 행복했던 시절이다.
볼링이라는 새로운 스포츠도 배웠다. 내 적성에 딱 맞아서 주부 볼링 선수로 나갈 정도의 실력이 쑥쑥 자랐다. 대회 나가서 부상으로 받은 그릇등은 지금도 잘 쓰고 있다. 그토록 가고 싶었던 대학도 방송통신대학교를 통해 입학도 했다. 물론 아들이 너무 어려서 맡기고 시험을 보거나 출석수업을 갈 수 없어서 2학년으로 마치긴 했지만.

아이들과 함께 행복하고 즐거운 시간을 제일 많이 보낸 시절, 30대.
선민아! 너의 30대는 찬란하게 꽃이 피고 아름다웠지!
잊지 말고 잘 기억해 두었다가 두고두고 꺼내어 보렴. 앨범에 있는 많은 사진처럼 추억도 가끔씩 들춰 보면서 행복해 지기를 바란다.

혼란의 시대 서른
$v=m \cdot t^n$이다.

이 명 재

① 진의와 비진의를 가리는 일은 처음부터 네 몫이었다.

삽작문 틈새로 비집고 들어 온 봄바람은 온 집안을 팝콘을 튀겨 놓은 듯 화사한 봄을 뿌려놓고, 구렁이 담 넘듯 슬그머니 담을 넘어 사라지고 난 20대의 뒤 끝에서 맞이한 30대 초입은 혼란의 시기였다.
지금까지 알던 흥부는 평생 흥부여야 하고, 빵덕어멈은 평생 빵덕어멈이어야 하고, 성춘향이는 평생 성춘향이어야 하는데, 이게 그렇지 않을 수 있다는 사회가 나를 혼란스럽게 했다.
상대방이 나에게 보내는 신호가 진의인지 비진의 인지 헷갈리기 시작한 것이다.
분명 나에게 표시한 신호를 진의로 알았는데 긴 시간을 기다릴 것도 없이, 눈 깜짝할 사이에 비진의라는 게 표정 하나 변하지 않고 바꾸더란 것이지. 이 무슨 상식에 벗어나는 경천동지 할 일들이란 말인가?

출발점이 다른 경우가 있는 걸 몰랐다는 것이다.
고려시대에도 조선시대에도 금수저· 흙수저는 존재했고, 21세기를 사는 현재에도 금수저 흙수저는 존재한다는 사실을 인정하기 위해 한동안 시간이 필요했다. 부모를 탓할 마음은 추호도 없다.
내 나름대로 부모란 신체 온전하고, 남 보기 혐오스럽지 않고, 사물을 보고 옳게 판단할 지능을 주시면 그것으로 족하다는 생각은 지금도 변함이 없다.
30대에 바라본 세상에서 금수저 흙수저는 불합리하고 불공평하지만 그걸 인정하지 않고는 세상에서 발붙이고 살 곳이 없다는 생각이 나를 힘들게 했었다.

선착순이라는 게 있다. 제일 잘 달리는 한 명을 제외하고 다시 뛰어야 하는 벌 말이다.
한 명을 제외하고 뒤돌아 달리면 꼴찌가 1등이 되어 달리는 것이다. 2등은 평생 2등인 것이다.
구구절절 말하지 않더라도 30대에서 선착순 같은 일을 겪을 수 있다는 것이다.
닭장에서 오늘 저녁 식탁에 오를 닭을 선택하는 건 주인 마음이라는 것이고, 몇 명을 끊고 다시 달리게 할지는 내가 아닌 다른 사람의 선택이라는 거다.

나의 영역 밖의 일을 내가 고민을 할 필요는 없는데도 많은 시간을 낭비했다는 거다.
이현령비현령이라는 말이다.

어쨌든 상위 1% 몇을 제외한다면 공평한 기회를 가지고 돌아가는 세상이라는 걸 알기에는 상당한 시간을 낭비했고, 내심에 있는 생각과 표시된 말이 일치하지 않더라도 그건 내가 간섭할 영역이 아니며 중요한 것은 모든 사람들이 그 속에서 살아간다는 것이다. 나의 30대는 공정하지 못한 사회에 길들여지던 시기였다.

고로, 불공정한 세상이라도 진의와 비진의를 가리는 것은 당초부터 네 몫이었다.

② $v=m\cdot t^n$
서른은 각자 자신의 질량을 최대한 부풀리는 시기인 것 같다.
v(성공)=m(질량)·t^n(시간)이라는 생각을 한다.
흙수저라면 누구나 갈망하는 성공(v)= 본인의 질량(m:능력·사회적 스펙) X 시간(t^n)이라고 생각한다면 대부분 맞는 말이 아닐까?
여기서 30대는 본인의 질량을 최대화하는 시기이며, 이 시기의 질량은 평생에 영향을 미친다는 생각을 해 본다.
서른은 우리 생의 절반으로 반환점으로 생각한다면, 최고 정점에 이르는 시기로, 그 질량을 얼마나 늘렸느냐에 따라 나머지 30년 절반의 내리막길에서 가속도를 붙이느냐가 성공을 좌·우한다고 생각을 한다.

질량이란 10대와 20대를 거치면서 스스로 성취한 실력이라는 무형의 자산과 사회가 인정한 능력을 기초로, 사람과 사람의 관계 속에서 형성한 사회적 영향력을 합산한 수치라 해도 될 것 같다.
40대부터 정점에서 하향하는 내리막길이라고 한다면, 질량이 크면 클수록 주위를 흡인하는 힘이커진다 라고 보면 될 것 같다.
마치 경사진 면에서 한 줌의 눈을 뭉쳐 아래로 굴려 보낸다면 시작점의 한 줌의 눈뭉치가 크면 클수록, 위치가 높으면 높을수록 마지막 정착지에서 부피가 커지는 것과 같을 것이다.
따라서 질량이 크면 클수록 정점에서 내려가는 경사진 나머지 생은 가속도(t^n)가 붙어 형성되는 부피를 성공이라 하지 않을까?

여기서 시간이란 모두가 공유하고 있는 동일한 것으로 보아야 하겠지만, 시간이 성공이라는 명제 속에서 가치로 치환될 때는 동일할 수는 없다.
왜냐하면, 어떤 사람의 한 시간은 100만 원의 가치가 있다면, 어떤 사람의 한 시간은 1만 원의 가치를 가지는 것이다.
따라서 1만 원의 가치를 가지는 시간을 t라고 한다면, 질량이 큰 사람의 시간(t)은 t^n으로 n의 값이 변한다는 것이다.
각자가 가지는 질량에 시간(t^n)인 속도를 곱한다면 각자가 쓰는 시간은 동일할 수가 없다.
이런 연유에서 서른 즈음의 시간은 가장 중요한 시기라고 생각 한다.
서른의 정점이 어떤 높이에서 시작하는지와 그가 가지는 사회적 질량과 각자 다른 시간의 n승이 40대 이후에 흐르는 대로 맡겨 두어도 성공(v) 값은 이미 정해져 있다는 것이다.

30대에 시간을 낭비하고 허상을 좇아 헤매고 다녔으니, 한심하지 아니한가?
저명하신 선배들의 에세이를 살펴봐도 노골적이고도 솔직하게 표현하신 분들은 없다.
점잖고 품위 있으며, 뭔가 도를 통한 것 같은 신선의 경지에서 쓴듯하여 빠져들고는 했지만, 흥부는 평생 흥부로 살고, 뺑덕어멈은 평생을 뺑덕어멈으로 살아야 하고, 성춘향이는 평생 춘향이로 사는 줄 알 수밖에 없는 제자리 돌기였다.
그것을 분별할 줄 아는 능력도 네 몫이라면 할 말은 없다.
그러나 이제 30대로 다시 돌아간다면 하고 싶은 말은 **$v=m \cdot t^n$이다.**
이것이 현실인 바에는 현실을 현실대로 표현하는 것이 옳은 것 아닐까?

서른 즈음의 하루는 40대 이후의 1년과 견줄 수 있는 것 같다.
그만큼 시간이 소중하다는 말이다.
시간의 ^{n} 승만큼 소중한 시간인데 낭비를 한 것 같아 아쉬움이 많다.
세월은 한번 흘러가면 다시는 돌릴 수가 없는 것을.............

30대의 나에게.
인간관계, 금전관계에 신중하라!

정 향 분

30대의 나의 인생은 엄청난 격변기였다.
나만을 위해 살던 미혼 시절에서 결혼으로의 변화는 너무나 큰 것이었다.
결혼을 하고 자녀를 출산하면서 집안일과 육아를 하게 되면서 갑작스런 변화에 많이 우울했었다.
그 시절에는 대부분의 사람들이 당연한 듯이 결혼했다.
결혼을 하지 않은 사람은 마치 흠이 있는 사람처럼 여기던 시대이기도 하다.

30대의 나에게 말하고 싶다.

결혼에 대한 충분한 준비된 결혼관을 갖고 시작하라!
좋아하는 사람과 결혼하여 아기도 출산했지만, 그 시절은 대부분의 직장인 여성들이 가사노동과 육아 또한 90% 이상 도맡아 하던 시절이니 나만을 위해 살던 미혼 시절에서 결혼으로의 변화는 어마어마하게 큰 것이었다.
결혼생활에 적응하는 것이 힘들고 어려웠었다.

인간관계, 금전관계에 신중하라!
결혼 후 1~2년이 지나지 않아 경제관념이 부족했던 나는 IMF 라는 어려운 외환위기 시기에 시가의 인척에게 큰 금액의 보증을 서게 되어 많은 어려움을 겪었다.
90년대 초 월급을 50~60만원 가량 받던 시기에 1억 정도의 보증사고금액을 고스란히 떠안게 되었고, 남편의 사업도 어려워져 연체이자를 28% 까지도내는 경우까지 생겨 더 이상 감당 할 수 없게 되어 6년이나 급여가 압류 되었었다.
그 때에는 지금처럼 기본생활을 보장하는 일정금액을 두고 가져가는 것이 아니라 급여액의 50%를 무조건 압류하고 기여금, 각종세금 등을 공제하다보니 상여금이 없는 달에는 공제할 금액이 부족하여 교육청으로 10~20만원을 보내야 했다. 어려움은 말로 다 할 수 없을 정도였다. 어떤 판단도하기 어려웠었다. 아무생각도 나지 않았었다.
그 시절(90년대 초) 여러 금융기관에서는 나에 관련하여 교무실 교감선생님 책상의 전화로 엄청나게 빚 독촉을 하였다. 어쩌다 수업이 없는 시간에 교무실에 앉아 있을 때는 가시방석에 앉은 듯이 괴로웠었다.
여러 선생님들이 조용히 근무하고 계신 곳에서 교감 선생님 책상의 전화로 빚 독촉 전화를 수도 없이, 끝도 없이 받아야 했으니 말이다. 늘 가슴 조리며 지냈었다.
퇴근하여 해가 져야만 숨을 제대로 쉬었던 것 같다.
저녁에는 전화를 안 받아도 됐기 때문이다.

뻔뻔한 모습의 시가 사람들을 대하는 것도 너무 힘든 일이었다.
말할 수 없이, 표현할 수 없이 힘들고 긴 시간을 보냈다.

친정의 도움을 받으며 긴 세월을 보냈다.
정말 많이 고생하고, 견디며 그렇게 살아냈다.
그저 아이만 바라보며, 오로지 아이를 키우는 일에만 집중하며 최선을 다하면서 살아왔다.

나의 성향은 늘, 남의 말이나 주변, 또는 친구들의 말을 의심하지 않고 무조건 믿는 사람이었다.
삼십대를 살면서 그렇지 않다는 것을 알게 되었다.
삼십대를 지나며 큰 인생 공부를 했다.
인간관계에 신중해야 함을 알게 되었다.
그리고 금전관계에 더욱 신중해야 함을 알게 되었다.
돈의 소중함을 조금 알게 되었다.
그럼에도 이후로 젊은 30대의 철없음으로 많은 실수가 이어졌었다.

30대의 나에게 해 주고 싶은 말

최 개 헌

정신분석자인 프로이트는 정상의 기준을 이렇게 정의한다. '약간의 히스테리, 약간의 편집증, 약간의 강박'을 가지고 있는 것. 즉 세상에 문제없는 사람은 없다는 뜻이다. 모든 사람이 어느 정도의 문제는 다 가지고 있다. 그러니 자신에게 문제가 있다는 것을 부끄러워하거나 부정할 필요가 없습니다. 자신에게는 아무 문제가 없으며 늘 옳다고 생각하는 사람보다 문제가 있다고 생각하고 그것을 고치고 조심하며 살아가는 사람이 훨씬 더 건강하게 살아가는 사람이라고 생각한다.

감명 깊게 읽은 김혜남 작가의 내가 인생을 다시 산다면 내용의 책에서
선생님은 정신분석 전문의로, 두 아이의 엄마로, 시부모님을 모시고 사는 며느리로 눈코 뜰 새 없이 바빴습니다. 그녀는 마흔 세살에 몸이 점점 굳어 가는 파킨슨병 진단을 받고 나서 인생이 바뀐다.
병으로 밤에 혼자 화장실을 가는 것조차 힘들어지니 비로소 깨닫게 된다.
내 역할을 다 잘하고 싶은 마음에 나 자신을 닦달하며 살다 보니 정작 누려야 할 삶의 즐거움들을 너무 많이 놓쳐 버렸구나. 만일 내가 인생을 다시 산다면, 어떻게 살아야할까?
이러한 의문을 남기며 새로운 인생을 출발하게 된다.

이 책을 읽고 나서 만일 내가 30세의 인생을 다시 산다면 어떻게 할까?

첫째는 나는 내 인생의 주인으로 살 것이다.
세상에는 하기 싫어도 해야만 하는 일이 참 많다. 직장에 갈 때 즐겁고 재미있으면 입장료를 낸다. 입장료를 내는 대신 월급을 받는다. 그 대가로 하기 싫은 일을 해야만 할 때도 있기 때문이다. '가족들만 아니었어도 내가 이 회사에 다니지 않을 텐데' 라고 생각하면 일의 주인이 되는 게 아니라 일에 질질 끌려다니는 피해자가 되고 만다. 하지만 '내가 해 주는 거다'라고 마음먹고 하기 싫은 일을 빨리 해치우면 나머지 시간에 내가 원하는 사람을 만날 수 있고, 원하는 여행을 갈 수 있고, 원하는 취미 생활을 할 수 있다.

젊은 세대에겐 워라밸이 중요하다. 워크 라이프 밸런스, 일과 삶의 조화. 아버지 세

대가 일만 하고 살았다면 지금의 세대는 일도 중요하지만, 여가를 누리는 것도 중요하고, 자신의 삶을 사는 것도 소중하다. 전 일만 한 우리 세대보다, 지금의 젊은 세대가 더 현명한 삶을 살고 있다고 생각해요. 우리도 닮아갔으면 좋다. 가정 내 부모로서의 역할, 회사 내 관리자로서의 역할만 너무 고민하지 말고, 나는 무엇을 할 때 즐거운가를 찾아보면 좋겠습니다. 그래야 내가 내 인생의 주인으로 살 수 있다.

두번째 인생의 인고를 슬기롭게 해결하자.
살다 보면 갑자기 징검다리를 만나기도 하고 가시덤불과 마주치기도 한다. 그것은 상처가 아니다. 누구나 겪는 삶의 한 과정이다. 상처에 예민하게 반응하는 사람들은 어떻게든 피하려고만 하는데. 징검다리는 건너면 되고, 가시덤불은 조심조심 헤쳐서 나아가면 된다. 예를 들어 상사에게 야단을 맞았다.. 업무상 실수에 대한 지적을 한 것인데 그것을 상처라고 말하는 사람이 있다. 그것은 상처가 아니다. 지적을 받았으면 고치면 되고, 사람 사는 세상에서 사소한 마찰과 갈등은 언제든 있을 수 있는 일이다.
아주 사소한 일까지 모두 상처라고 말하면 우리 삶은 문제덩어리가 된다. 왜냐하면, 상처를 입었다는 것은 누가 나에게 어떤 위해를 가했다는 뜻이다. 즉 상대방을 가해자로, 나를 피해자로 만들어 버린다. 우리가 무언가를 절실히 원하는데 뜻대로 되지 않을 때, 상처를 받는다. 먼저 내가 원하는 게 정말 합당한 것인지부터 생각해 볼 필요가 있다. 누군가에게 문자 메시지를 보냈는데 답장이 금방 안 온다는 이유만으로 '나 상처 입었다'고 말하는 건 나쁜 습관이다. 상대에겐 그 나름의 사정이 있을 수 있다. 제발 모든 것을 상처라고 말하지 말자.

세 번째, 좋은 부모가 되려고 너무 애쓰지 말자.
좋은 부모란 아이의 필요를 언제 어디서나 항상 충족시켜 주는 부모가 아니다. 사람이 성장하려면 어느 정도의 결핍과 좌절을 경험해야 한다. 결핍되고 상실한 것을 스스로 찾아 메우려는 노력이 바로 사람이 성장하는 과정이다. 부모가 모든 것을 다 충족시켜 주면 아이는 성장할 필요를 느끼지 못하게 된다. 또 부모가 아무리 아이에게 모든 인생을 바쳐도 그 결과가 전적으로 부모의 통제 안에 있을 수는 없다. 집 밖의 세계에서 부모가 미처 예상하지 못한 일이 아이에게 일어날 수 있다.

부모가 아이에게 해 줄 수 있는 것은 줄 수 있는 만큼의 사랑을 주는 것이고요. 할 수 있는 만큼의 최선을 다하는 것입니다. 하지만 어느 선에서는 아이에게 자신의 삶을 살 수 있도록 자립심을 키울 수 있도록 여지를 주는 겁니다. 그리고 아이들이 나이가 들어 스무 살이 넘어 부모의 곁을 떠나갈 때 잘 떠나 보내주는 거죠. 그러니 좋은 부모가 되려고 너무 애쓰지는 말았으면 좋겠습니다. 대신 자신의 삶을 더 충실하게 살 수 있도록 노력하는 거죠. 어떤 노력이 필요할까요?

마지막으로, 나는 나에게 조금 더 너그러운 사람이 되고 싶다.
누군가를 미워하며 사는 삶은 괴로운 삶입니다. 용서란 내 마음에서 분노와 미움을 떠나보내는 작업인데요. 용서는 다른 사람을 향해서만 베푸는 게 아니다. 우리는 우리 자신도 용서할 수 있어야 한다. 우리는 남을 용서할 줄은 알아도 자신을 용서하는 법은 제대로 배운 적이 없다. 자신에게는 엄격하고, 타인에게는 너그러워야 한다고 배웠다. 외로운 사람이 가장 먼저 해야 할 일은 나 자신을 용서하는 거다.

4

인생질문

40대의 나에게 해주고 싶은 말

운이 없다고? 아냐, 끝을 봐야지~

김 모 니 카

세상에서 엄마가 제일 예쁘다던 아이들은 어느 사이 훌쩍 커버렸고
엄마의 도움 없이도 자신의 일을 해결하기 시작했어.
아이들에겐 각자의 독립공간(그것이 마음의 공간이든, 거취의 공간이든)이 필요했고
나 역시 독립해야할 시간이 왔어.
건강에 신경써야할 것도 같았고 새로운 공부를 해야할 것도 같았지.
어쩌면 새로운 직업을 찾으려 했는지도 몰라.
고민하는 시간이 늘었고 기웃거리는 것마다 만족스럽지 않았지.
무엇을 할 수 있을까...
확신할 수 없는 고민은 시간만 잡아가고 있었어
답답한 마음에 사이버 자격증을 늘리고 있었는데
결국 내가 한 공부는 놀이에 지고 말았어, 나는 취미를 선택했으니까
취미도 살뜰했다면 일이 될 수 있었으련만
왜 꾸준하지 못했을까, 왜 빠르게 결정하지 못했을까
지금 생각해 보니 가장 아까운 시간이었던 것 같다
40대의 나는,
흔들리지 않고 피는 꽃은 없다지만
결국 꽃을 떨구고 맺은 열매를 보아야 했어
실패도 있을 수 있고 방황도 있을 수 있지만
꾸준하지 못했다.
당장의 현실에 수고로웠던 나
힘들었을 테지만 이왕 시작했다면 끝을 봐야지

40대의 나를 회상하며…그때의 나에게
40대, 삶의 한가운데...

김 영 통

중년(中年)의 시기...
40대는 삶의 중간을 가로지르는 연령대이고, 가운데 중(中)자를 붙여서 중년이라고 한다. 40대는 생물학적 나이가 아닌, 삶 전체의 궤적을 기준으로 중년이라고 한다. 이 시기는 인생의 전반부와 후반부를 적당히 둘러볼 수 있는 나이이기도 하다. 그래서 이 시기에는 다양한 변화와 도전이 있다. 아름답지만 처연(凄然)한 시기이다.

마흔,
"그것은 먹먹한 한숨이다. 눈물이 뒤섞인 가슴을 들킬까 봐 무서워 감추고 있는 시린 한숨이다. 하지만, 흔들리지 않고 피어나는 마흔은 없다. 고뇌의 소리를 내지 않고 살아가는 마흔은 없다."

다시 40대로 돌아간다면,

"He who is devoid of the power to forgive, is devoid of the power to love."
(용서할 힘이 결여된 사람은 사랑할 힘도 결여되어 있다.)
... Martin Luther King Jr.
"중년은 용서의 시기이다."

과거를 용서하고 자신에게 상처를 준 사건이나 사람을 용서하려 한다.
아무리 노력해도 용서가 되지 않지만, 온전히 용서하고 나를 사랑할 힘을 가지고 싶다.

열심히 살았지만, 또다시 불안하고 너무 늦은 것 같은 나의 오늘은 매일 나아지는 중이다.
나의 목표는 오늘 하루를 진정한 황금기로 만드는 것이다.
앞으로도 최선을 다해 살아갈 마흔의 내 인생을 사랑하는 나를 온전히 느끼고 싶다.

"모든 결정에는 책임이 따르고 결정한다는 것은 그 선택에 대한 책임을 자신이 진다는 의미이기도 하다. 그래서 마흔의 나는 책임이 따르는 후회 없는 선택을 하고 싶다. 다시 그때로 돌아간다면・・・"

결실을 향한 염원의 계절은 외로움의 계절
힘들고 아프지만 절정의 시기

김 영 희

한생에서 절정기라고 말할 수 있는 40대,
내가 어떻게 건너왔는지 돌이켜보니 숨 가쁜 시절이었구나.
가장 아름답고, 가장 바쁘고, 가장 힘겨운 시기가 40대여서 어떻게 지나왔는지 그 기억을 찾아 들여다보니 우선 울컥 치밀어 오르는 감정이 앞장을 서면서 아련한 아픔들이 깔린다.

계절의 절정이 여름이라면 생의 절정은 40대인 것 같다.
여름이면 산천초목들은 꽉 찬 아름다움으로 출렁인다. 작열하는 태양 아래 달콤함으로 익어가는 꿈이 있다. 그러나 많은 고난을 견뎌야 하는 계절이기도 하다. 장맛비에 휩쓸리고, 홍수에 저항도 못하고 쓰러지기도 하면서. 그럼에도 불구하고 결실을 향한 염원을 고스란히 바쳐야 하는 숨 가쁜 계절이다.
인생살이에서도 40대는 가장 화려하고 꽉 찬 젊음의 힘으로 싱그러운 시기이다. 그러나 직장에서는 중견의 자리를 지켜야 하고, 자식들 뒷바라지가 바빠지고, 사회적인 체면도 유지해야 하고, 더 이상 부모 그늘에서 지내는 아이가 아니라 부모님의 보호자가 되어야 하는 시절이 40대다.

고향을 떠나 원주라는 동네에 첫발을 딛고 새 일을 시작해야 했다. 모든 것이 낯설고 힘이 모자랐지만 중학생이 된 두 아이가 큰 버팀목이 되던 시기가 너의 40대의 시작이었구나. 어떤 고난과 맞닥뜨려도 자식이 품에 있다는 한 가지 이유가 유일한 구원이었던 시절이다. 부모님은 연로하셨고, 믿을 곳은 오직 나의 의지 하나밖에 없던 눈물겨운 시절이 너의 40대였다. 그러나 잘 견뎌온 너의 이름은 오직 엄마였구나.

묻어두고 혼자 꺼내보며 살아야 했던 문학에 대한 열망도 힘을 잃어 비틀거렸고, 생의 한 가운데가 온통 홍수와 폭우에 젖은 풀잎 같았던 그 시절. 밤이면 원동 KBS 뒤편에 둥글게 솟아 있는 '추월대'가 위로의 장소였다. 한눈에 원주 시가지가 들어오고 달이 떠오르는 시간엔 아늑한 빛이 너를 감싸던 그곳. 조선시대 시인묵객들이 시를 읊던 장소라는 그 내력 하나만으로도 네겐 고향처럼 아늑한 곳이었다. 한참을 울다가 내려오면 그나마 며칠은 견딜 수 있었던 그 추월대에 대한 추억. 지금은 재개발 사업으로 아파트 공사가 한창인데 흔적이나마 남아있으려나 모르겠다.

40대엔 왕성한 몸의 힘과 강인해 지려고 노력하는 마음이 버팀목이었다. 어린 시절 교과서에서 배운 세상살이에 대해 부딪치며 실망하고 분노하던 20~30대 시기가 있었다면, 나이 마흔이 되면서 세상의 진정한 모습이 어떤 것인지 차츰 알고 깨닫는 시기였다. 보이는 것만이 진실이 아니라는 것도 알고, 거짓과 위선 앞에서 함구해야 하는 비열함도 배우고, 그 선을 슬기롭게 넘어가는 방법을 깨우치게 되는 시기였다. 속으로 끙끙 앓으면서도, 분노가 넘쳐흘러도 참아내는 방법을 하나씩 터득해 나가는 시기였다. 가슴앓이로 지새우는 밤이 있어도 아침이면 털고 일어날 수 있는 에너지가 있었고, 타인 앞에서는 웃는 방법을 선택할 수 있는 시기가 40대였다.

돌이켜 생각해 보면 그 많은 출렁거림을 다독이며 건너온 징검다리들이 현재의 너의 내면이 된 것 같아 참 다행이다.
20여 일을 쏟아지던 폭우가 많은 피해를 남기고 장마는 끝이 났다. 불볕더위가 남아있다지만 이 여름도 한 달 후면 숨을 다하고 어딘가로 떠날 것이다. 들끓던 40대 그 시절처럼.
장마에 힘을 잃었던 호박이랑 오이가 지지대를 붙잡고 넝쿨을 키우며 열매를 맺고 있다. 매일 돌보지 않아도 스스로 꽃을 피우고 열매를 맺는 넝쿨처럼 인생은 참 외로운 것이다. 그러나 씨앗 하나를 익히기 위해 최선을 다해 힘을 끌어올려야 하는 것이다.

나이를 먹는다는 것은 쉬운 일이 아니다. 남에게 지탄받지 않고 그나마 잘 살고 있다는 객관적 평가를 받기란 더욱 쉬운 일이 아니다. 이순 고개에 올라서서 바라보니 마흔, 쉰, 나이고개를 숨차지 않게 올라온 사람은 없다는 것을 알게 됐다. 때로는 비틀거리고 넘어지고, 상처 난 몸으로 울음을 참고 오르는 것이다. 때로는 누군가의 어떤 힘으로 고갯길에서 아래로 미끄러지기도 한다는 것을 알겠다. 그럼에도 불구하고 이순 고개에 올라섰으니 그나마 무난한 생을 걸어왔다고, 들끓는 40대를 잘 걸어왔다는 생각이 든다.

'세상은 모든 사람들에게 공평하여 누구에게나 같은 기회를 준다.'고 마음공부 하는 사람들은 말한다. 나 혼자만 홍수 속에 떠밀려 풀잎 하나 잡고 허우적거리는 것 같다는 생각을 누구나 하면서 젊은 시절을 보낸다는 것을 이제는 알겠다. '역경'을 뒤집어 읽으면 '경력'이 된다는 말을 나는 좋아한다. 아픈 허리를 다독이며 40대의 한 페이지를 읽는 지금, 흔들리면서도 정체성을 잃지 않고 살아온 너를 사랑한다.

그대는 사막의 오아시스를 보았는가?

김 응 섭

양양의 바닷가에서 오랜만에 친구들과 생선회에 소주를 곁들인 만남이 있었다. 회갑을 넘어선 나이 탓인지 술잔을 비우는 횟수보다 개인 신상에 대한 이야기로 시간을 보내다가 취기가 오른 친구의 제안으로 인근에 있는 노래방을 갔다. 무슨 노래방이냐며 투덜대던 친구도 있었지만 이내 동행을 한다.
조명이 켜지고 고막을 흔드는 반주가 방안을 휘젖는다. 정해진 순서도 없었는데 노래는 끊어지지 않고 잘도 이어진다.

노래방에 자주 가지는 않지만 그래도 간간이 찾는 기회를 위해서 나도 일명 18번지 몇 곡을 가지고 있다. 대개는 내가 좋아하는 노래지만 점수를 후하게 얻지는 못한다. 그래서 덤으로 점수가 잘 나오는 곡도 두 세곡 준비를 해 두고 있다. 기계가 내어주는 점수지만 높은 점수가 나오면 기분도 좋아지고 내가 정말 노래를 잘하는구나 하는 착각을 현실처럼 받아들이게 한다.

요즘은 점수가 잘 나오는 노래보다 새롭게 배우는 노래를 연습 삼아 부르는 경우가 많아졌다. 점수를 통해 다른 사람을 의식하는 것보다 내가 좋아서 새로운 마음으로 부르는 경우가 많다고 해야 하나.
한때는 점수에 얽매여 높은 점수를 얻으려고 즐기기보다 점수에 집착하던 때도 있었다. 점수에 따라 기분이 들락날락했다. 기계기 좋아하는 스타일로 변해가는 모습이 싫었다는 핑계 같지 않은 핑계를 대며 차츰 노래방 가는 길이 뜸해지기도 했다.

내 사십대의 삶이 노래방 기기를 통해 반추(反芻)된다. 언제부터인지는 모르겠지만 정말 노래를 잘 부르려고 애를 쓰던 때도 있었다. 어쩌면 노래를 잘 부른다기보다는 기계가 내어주는 점수를 높여 보려고 무진 안간힘도 써 보았다. 그런데 그 시간이 지나고 나면 그런 시간조차 허무하다는 생각이 들 때가 많았다. 그냥 노래하는 그 시간이나 만남 자체를 즐길 걸 하는 아쉬움이 남았다. 그렇다고 지금까지 나의 교육활동을 후회해 본 적이 많다는 것은 아니다. 교육활동의 아쉬움이 간간이 묻어 있기도 하지만, 그것 자체가 또 다른 나의 교육활동에 힘을 얻게 되는 계기가 되기도 했다.
40대에 새로운 도전의 기회가 생겼다. 교감으로 승진을 하고 새로운 학교로 발령도 받았다. 학교에 주어진 연구과제도 보란 듯이 해결을 했음에도 새로운 길을 가보고 싶다는 생각이 들었다. 동경(憧憬)했다기보다 도전해보고 싶었던 일을 실행하기로 했다.

뒤늦은 도전이지만 지금 아니면 언제 해 보겠냐는 마음으로 전문직에 도전했다. 준비하는 짧은 시간에도 새로운 길을 가려는 나에게 평범한 길을 갈 걸 하는 스스로의 되새김도 있었지만, 이내 내가 좋아하는 새로운 노래를 부르리라 다짐을 하면서 나의 노래를 부르는 마음으로 준비를 했다. 다행으로 나의 노래에 응원의 박수를 보내 주는 힘을 얻어 내가 즐기는 노래만이 아닌 다른 사람들이 부르는 노래에 탬버린(tambourine)을 치면서 응원을 해 주는 역할도 맡게 되었다.

학교 현장은 참으로 많은 변수가 도사리고 있는 생동감 넘치는 공간이다. 바람이 불 때마다 순간순간 변하는 사막의 모래언덕처럼 쉼 없이 꿈틀거린다. 그런 꿈틀거림이 성장이다. 변화가 없는 모래사막은 죽은 사막이다. 사막을 변화시키는 바람처럼 학교에 신선한 바람을 넣어 주리라 다짐하며 나에게 주어진 역할을 수행했다. 인디언들은 말을 타고 너른 평야를 달리다가 구릉을 만나면 언덕위에서 참시 말을 멈추고 달려온 길을 되돌아본다고 한다. 너무 빠르게 달려 혹시라도 나이 영혼이 따라오지 못했을지도 모른다는 생각에 영혼을 기다리는 시간을 갖는다고 한다. 학교현장을 지원하는 역할을 하면서 늘 되뇌던 글귀이다.

내가 자주 읽는 어린왕자에 사막 이야기가 나온다. 사막이 아름다운 것은 사막 어딘가 오아시스가 숨겨져 있기 때문이다. 오아시스는 희망이다. 수돗꼭지를 틀면 언제든지 마실 수 있는 물보다 힘들게 달리기를 하고 땀을 흘리며 마시는 물이 더 꿀맛이듯, 사막에서 만나게 되는 오아시스는 새로운 길을 가게 되는 또 다른 힘이 되어 준다.

사람들이 바라보는 별은 바라보는 사람에 따라 다른 의미를 가지고 있다. 여행을 하는 사람들에게는 길잡이가 되어 주고 어떤 사람들에게는 그리움의 대상이 되기도 한다. 수많은 별을 바라보면서 하루를 마감하던 나의 사십대의 어느 하루를 이렇게 적어 놓은 날이 있었다.
달빛에 가려진 너를 찾아 헤매다/ 돌아와 누운 창문으로/ 스치듯 기우는 너를/ 뜬눈으로 기다린다.
열정적으로 살던 하루 같은 나의 사십대는 새로운 노래를 찾아 부르며 사막을 걷는 시간이었다. 가끔 만나는 오아시스 같은 인연들이 삶을 풍성하게 해 주고 목을 축이고 새로운 길을 떠나게 하는 힘을 주었다.

새로운 길을 찾아 떠나던 나의 사십대를 로버트 프로스트(Robert Frost)의 가지 않은 길을 빌어서 정리를 해야지.
숲속에 두 갈래 길이 있었다고,
나는 사람이 적게 간 길을 택했다고,
그리고 그것 때문에 모든 것이 달라졌다고.

양가 부모님을 잘 모시지 못한 게 후회로 남는다
나의 40대에 친정어머니, 시아버님이 내 곁을 떠나셨다

민 정 숙

사람이 죽고 사는 것이 아무리 천명이라지만 부모님이 홀연히 돌아오지 못할 길을 떠나시는 건 너무나 큰 아픔으로 평생 남는다. 쓰라림으로도 기억되고 애잔함으로도 기억돼서 때때로 생각이 나고 그리움에 눈물을 훔치게 하는 것이 부모님의 사망이다.

나는 40대에 막 접어들 무렵 갑자기 친정어머니가 돌아가셨다. 2002년 한일월드컵이 열렸던 그 해 나의 친정어머니가 음식을 잘못 드시고 급체로 기도가 막혀서 세상을 떠나신 것이다. 당시 70대 초반이던 친정어머니가 그렇게 갑자기 돌아가실 줄은 꿈에도 생각을 못했다. 장례를 치르면서 유품을 정리하던 중 내가 생활비로 매달 드린 봉투 3개가 장롱에서 나와서 나를 너무나 슬프게 했다. 친정어머니가 딸이 드린 생활비가 아까우셔서 다 쓰지도 못하시고 먼 길을 떠나신 것이다.

40대 접어들 무렵 친정어머니를 잃은 나는 40대 후반에 시아버님을 또 잃는 아픔을 겪었다. 너무나 건강하시던 시아버님께서 삼복더위에 밭에서 일을 하시느라 과로하셨는지 뇌출혈로 쓰러지신 것이다. 밤새 머리가 깨어질 듯 아프셨을 텐데 그 아픔을 참으시다가, 아침에 시아버님 상태의 심각성을 가족들이 인지해 급히 119구급차로 원주기독병원으로 모셨다. 그러나 뇌출혈 증세가 더욱 심해져서 유언도 못 남기시고 중환자실에서 1주일 만에 운명하신 것이다. 결혼 후 시부모님을 모시고 살았던 나로서는 정말 청천벽력같은 순간이었다.

40대에 친정어머니, 시아버님을 잃고 허전한 마음이 들 때가 많았다. 맛있는 음식을 먹을 때, 집안에 무슨 일이 있을 때 더욱 그리움이 사무친다. 친정어머니는 천상 여자로 음식솜씨가 좋아서 참으로 음식을 맛깔나게 만드시곤 했다. 시아버님은 남자다운 호탕한 성격에 가끔 막걸리라도 드시고 오시면 손자들을 너무나 예뻐하시던 겉보기와는 다르게 정이 깊으셨던 분이다. 문득 두 분 모두 너무나 만나보고 싶다. 지금 친정어머니는 괴산 호국원에, 시아버님은 원주 신림면에 모셔져 있다.

나의 40대는 상실로 기억된다. 친정어머니와 시아버님을 떠나보낸 상실의 아픔. 그렇게 갑자기 내 곁을 떠나실 줄 알았다면 무슨 일이라도 다 해드렸을 텐데. 맛있다는 음식도 다 사드리고, 좋다는 곳 구경도 실컷 시켜드리고, 해외여행도 같이 다녀왔을 텐데. 이 모든 것이 안타까움으로 남는다. 다시 친정어머니와 시아버님이 생존하셨던 당시로 돌아갈 수 있다면 두 분을 정말로 극진히 모셔 딸 하나, 며느리 하나는 잘 두었다는 소리를 들으실 수 있도록 해드렸으면 소원이 없을 듯도 하다. 두 분 모두 하늘나라에서 잘 계시죠? 거기서 행복하시길 빕니다.

인생이란 바다에서
-불혹의 나이, 학문에 들다.

오 선 민

어렸을 때 나의 꿈은 교사가 되는 것이었다. 선생님이 되어서 아이들과 함께 공부하고 재미있게 지내는 상상을 하면서 꿈을 키웠었다. 하지만 세상이 제 뜻과 제 맘대로 되는 것이 아니라는 것을 너무 일찍 알아챘다. 고2 때 아버지가 돌아가셨다. 이미 온 가족은 알고 있었다. 난 여자상업고등학교를 졸업하고 취직해서 엄마를 미약하나마 도와드리며 살았다. 가슴속에는 풀리지 않는 응어리가 항상 체한 듯 얹혀 있었다. 그 답답함을 글로 풀며 지냈다. 뭔가를 쓰지 않으면 터질 것 같은 마음을 주체하기 힘들었던 시기도 있었다.

결혼하고 삼십 대 중반에 원주로 이사를 왔다. 남편의 직장 따라왔지만 막막했다. 아는 사람도 없고 친구도 없고 친척도 없었다. 그야말로 생판 낯선 곳이었다. 혼자 있는 시간이 많아지자 갑자기 하고 싶던 공부를 해야겠다고 생각했다. 1995년. 방송대학교 국문학과에 입학했다. 방송대학교는 특성상 출석 수업을 가야 하는데 춘천 본교로 가야 했다. 당시 아들이 4살인데 맡길 곳이 없었다. 비록 대학교 캠퍼스는 아니어도 대학생이 되었다는 것만으로도 나 스스로 대견하고 기특했다. 어찌어찌 1년을 다녔는데 너무 힘이 들었다. 이듬해 휴학을 하고 다시 또 평범한 일상으로 돌아갔다. 주부볼링 클럽에도 다니고 즐겁게 지내는 나날들이었다.
하지만 공부하고 싶다는 학구열은 늘 가슴속에서 떠나지 않았다.

2001년. 다시 방송대학교 문을 두드렸다. 중어중문학과에 입학했다. 중국은 한자를 쓰니까 내가 어느 정도 한자도 알고 뭐 그리 힘들겠나 생각했지만 그건 오산이었다. 중국어는 물론 중국의 사회, 경제, 문화, 역사, 사상. 거기다 교양과목까지 배워야 할 것이 너무 많았다. 하지만 난 끝까지 졸업할 것이라 다짐했다. 정말 열심히 공부했다. 4년이 어떻게 지나갔는지 모르겠다. 2005년 졸업할 때 원주시 학습관 중어중문학과 졸업생은 나 하나였다. 그때 내 나이는 40대 중반을 넘어가고 있었다. 난 40대 후반부터 50대는 생각하고 싶지 않은 시기다. 인생의 그래프를 그린다면 아마도 바닥으로 떨어지는 줄이 그어질 것이다. 남편은 사업을 한다고 일을 시작했지만, 그것도 사람 마음처럼 되는 것이 아니라는 것을 다시 한번 뼈저리게 경험한 것이다. 아무튼 40대에 나에게 해 주고 싶은 말이 있다면, 꿈을 가지고 그 꿈을 향해 끝없이 노력해 온 네가 자랑스럽다고 얘기해 주고 싶다. 어떤 어려운 역경이 닥쳐도 꿋꿋하게 이겨낸 네가 기특하다고 안아주고 싶다. 인생이란 바다에서 풍랑을 만난 그런 경험을 했기에 지금의 네가 있다고 위로해 주고 싶다.

생각해 보면 길다면 길고 짧다면 짧은 인생길이다. 이제는 맘 편히 네가 하고 싶은 모든 일 하면서 시도 열심히 쓰고, 운동도 열심히 하고, 여행도 많이 다니면서 행복한 일만 꿈꾸기를 바란다. 고생했어, 선민아. 사랑한다, 선민아~!!!

원칙 + α(경험 + 여건) = 성공
앞과 뒤가 막혀 진퇴양난인 시기

이 명 재

사립문과 창문을 겹겹이 닫아걸고 세월을 밀쳐 내 보지만, 반으로 꺽인 30은 속절없이 가고, 40은 어김없이 나에게도 찾아왔다.
사람의 신체를 비유해 본다면, 20대까지는 현장에서 뛰어야 하는 손발이며(실무), 30대는 손발을 지탱하는 다 리(중간계층), 40대는 허리(중간관리계층)며, 50대는 이성적으로 판단하는 가슴(관리계층)이여, 60대는 쌓인 정 보를 종합하여 판단하는 머리(정책결정계층)가 아닐까?
40대 허리는 몸을 지탱해 주고 발과 머리를 이어주는 역할을 하는 기관이라고 생각을 한다.
허리에 해당하는 중간관리계층은 상·하의 가교역할만 충실하면 되지, 다른 신체작용에 부정적인 역할을 하면 머리와 발이 각각 다른 역할을 하여 사고가 발생할 수 있는 것 아닐까?
머리는 각종 자료를 종합하여 정책적으로 정치적으로 판단하고 명령을 내리는 기관이고, 손과 발은 이 명령을 충실히 수행하면 되는 것이다.
바꾸어 말하며 머리인 결정기관은 허리보다 더 많은 정보와 지식을 가지고 결정을 하고, 움직이는 손과 발은 현지에서 실무적인 지식이 가장 풍부하여 머리가 내리는 명령이 설령 틀려, 독자적으로 행동을 하더라도 결과 적인 측면에서는 오류가 크지 않다는 것이다.
그러나 40대인 허리가 중간통로 역할을 벗어나 머리의 명령을 변형하여 전달하거나, 20대인 손발이 움직인 결 과를 왜곡하여 전달한다면 큰 혼란이 일어난다.
어떤 중간관리층이 2,30대의 계층이 움직인 결과 보고를 머리로 전달하는 역할이 아닌 각색과 왜곡을 하여 형 체를 흐려 전달을 한다면 결정기관에서는 대단한 혼란이 일어나는 것이다.
이미 결정기관은 그동안 쌓아 온 정보를 토대로 결론을 예상하고 결과를 기다리는데, 결과물이 예상을 벗어나 면 재확인을 하고, 결정을 미룰 수밖에 없는 결과가 오는 것이다.

실제로 이런 일들이 일어나고 있으며, 결과적으로 엄청난 인적·물적 낭비를
초래하는 것이다.
현실도 모르고, 축적된 정보도 부족하면서 경험을 기초로 왜곡된 판단을 할 수
있다.
따라서 40대는 손발이 잘 움직이도록 힘을 길러 손발을 감싸주고 격려해 주며,
그들이 보내는 신호를 사실 그 대로 전달만 하면 되는 것이지만, 40대인 나는
어땠을까?
때에 따라서는 논리에 치우쳐 관리계층에게 논리적으로 설득하여 내 힘을
자랑하기도 했고, 이성적으로 상황 을 전개하여 실무계층의 판단을 바꿔 정당한
것처럼 힘을 발휘하기도 했다.
논리는 모든 판단의 기준은 되지만 경험을 더하여 정보에 의한 판단을 저해함을
몰랐고, 이성에 치우친 결과 의 왜곡은 현실을 가미한 다양한 결론에 영향을
미쳤다고 본다.
냉정히 생각하면 허리의 힘을 믿고 합리적인 판단과 현실적인 대안 양쪽 모두에게
폐를 끼치지는 않았을까?
결론적으로 힘이 힘이 아니었으며, 논리나 이성이 모든 결정의 일부분일 뿐이고,
이미 관리층은 방향을 결정하 고 모든 이에게 공감을 받을 답안을 기다리는
것뿐이었다.
원칙 + ·α(경험 + 여건 고려) = 성공한 조직의 등식이 성립한다고 생각을 한다.
40은 건전하고 냉철한 판단으로 일하고 현실의 다양성을 기준으로 하는 실무계층의
활동을 든든하게 뒷받침 하는 것으로 족해야 함을 뒤늦게 알았으니 이를 어찌해야
하는가?

흔들릴 수 없는 40!

40대에 들어선 어느 날, 거울 속 내 모습에 나도 놀랐다.
괴물로 변한 외계인 같은 모습의 중년 못난이 한 마리가 거기에 서 있는 것이다.
정의를 말하고 원칙을 주장하고 약자 편에 서던 나는 간 곳이 없고, 유들유들한
태도에 순간적으로 대처하는 삶이 나를 변하게 했다고 하기엔 이유가 되지 못한다.
이게 30을 넘긴 마지막 내 모습이란 게 너무도 싫었다.
그러나 다시 원점으로 돌아가기는 너무 늦은 시간이다.
앞으로 나가야 한다.
총구에서 탄환이 발사되면 다시는 되돌릴 수 없듯, 이미 되돌아가긴 늦은 시간이다.
상·하의 조절은 있을지라도 좌·우 조절은 불가한 시점이다.

공자께서 불혹이라 했다.
세상을 살아가는데 판단이 흔들리지 않는 시기라는 뜻이다.
나는 좀 다르게 생각을 한다.
흔들려서는 안 되는 나이, 흔들릴 수 없는 나이로 생각하고 싶다.
이때 흔들리면 모두가 엉망이 되는 시기다.
공자가 말한 볼혹의 뜻은 추측컨대 내 생각이 근접하지 않았을까?
100세 시대라면 반환점은 50이다.
그러나 사람답게 사람 구실을 하며 사는 건, 100세 시대에도 30살이 반환점이라고 나는 믿는다.
반환점을 돌아 내려가는 시점에 흔들리면 인생자체가 흔들린다.
설령 이 시점에서 원점으로 돌린다고 한다면 시작만 하다가 끝이 나는 것이다.
가든 길이 옳든 그르던, 좋든 싫든 갈 수밖에 없는 시기가 40이다.
가장 슬픈 시기가 40이다.
되돌릴 수도 바꿀 수도 없이 내 의지와 상관없이 가야 하는 게 이 시기다.
"흔들리지 않는"이 아닌 흔들릴 수도 없고, 흔들려서도 안 되는 시기다.

출근 때 아내 표정, 쳐다보던 아이들 눈빛이 무슨 의미였는지, 별을 보며 귀가를 할 때가 되어서야 아내와 아이들 눈빛이 마음에 쓰이는 시기이다.
일터에서 나를 믿고 나를 쳐다보며 결정을 기다리는 수많은 사람들은 나를 어떻게 평가하는지 내 결정이 혹 시 잘못되어 내 직원들이 곤란해지지는 않는지?
오늘 아내가 아프다고 조퇴한 직원의 안부가 궁금해지지만, 아내가 아팠던 건지 본인 마음이 아팠던 것인지 전화도 망설여진다.
모든 일들이 어깨를 천근처럼 누르는 시대 40대다.

그러나 여기서 흔들리거나 멈추면 모든 게 엉망이 된다.
책임질 가정, 직장 내가 벌려놓은 일들, 모두 내가 마무리하고 매듭지어야 하고 나를 기다리는 것들이 너무도 많은 것이다.

흔들릴 수도, 흔들려도 안 되는 40은 인생에서 가장 슬픈 계절이다.
불혹(不惑)이 아닌 무혹(無惑)이어야 하는 가장 슬픈 계절이 40이다.

40대의 나에게.
꿈을 포기하지 마라!

정 향 분

40대의 나는 직업적으로 사회 초년생의 실수도 많았던 시기가 지나고 교사로서의 주관을 가지며 직업적으로 여유로워지고 학생들에게는 열정을 다 하는 교사가 되어 있었다.
학생들과 생활하면서 많은 보람을 갖으며 나의 에너지를 다해 학생지도에 최선을 다하며 생활 하였다.
그렇게 학생들과 학습활동 연관해서 음악 관련한 많은 활동을 하면서 바쁘게 열심히 살았지만 늘 마음 한편에는 복합적인 아쉬움과 채워지지 않는 답답함 같은 것이 있었다.

나의 본질은 연주가가 되고 싶었었다.
젊은 시절의 나는 장소가 어디이든 피아노만 보면 달려들어 연주하고, 무대만 보면 뛰어 올라가 연주하곤 했던 나였었다.

음악교사로 생활하면서 학생들과 함께 수많은, 크고 작은 합창대회에 출전하여 많은 수상을 하고, 노래에 소질이 있는 학생을 개인지도 해서 실기대회 출전하고, 대입지도로 많은 학생들을 음대에 진학시키는 등 음악에 관련된 활동을 했다.
그 외에도 교사 합창단이나 어머니 합창단 등을 지도해 연주활동을 하는데 에도 열중했다.
학생들이 만드는 예술제 등의 무대 기획에도 많은 노력을 들였었다.
많은 음악활동을 통해 무대에 대한 그리움을 대신했던 것 같다.
나의 학생들 수업에도 적용하였다.
나의 평생 수업의 기본은 반 전체 학생들 하나하나 1인 1무대 공연이었다.
매학기 마다 1인 발표나 몇몇 학생들이 조를 이루어 미니 발표회를 하는 형식으로 수행평가를 진행했었다.
물론 내 자신도 크고 작은 무대 공연에 참여하면서 살았지만 개인 연주가로서 만족스럽지 않은 것은 늘 아쉬움으로 남는다.

사십대의 나에게 해 주고 싶은 말은

꿈을 포기하지 마라!

좀 더 적극적으로 나의 무대를 위해 연주활동을 했었다면 좋았을 것 같다.
바쁘다는 핑계로, 삶이 고단하다는 핑계로 접어두었던 꿈을 애써 외면하며 펼치지 않고 살았다.
교편생활 속에서도 무대를 포기하지 않고 나의 발전을 위해 연주활동을 하지 않은 데 대한 아쉬움이 많다.

목표를 정하고 살아가자.
계획 없이 사는 사람은 나침반 없는 배와 같다.

최 개 헌

인생은 등산하는 것과 같다고 흔히 말한다. 정상 목표를 향해 가는 과정이 도전의 연속이며 결과 못지않게 과정도 중요하다. 험하고 시간이 오래 걸리는 산을 오를 때면 지칠 때가 많다. 정상은 보이지도 않고 갈 길은 아직도 멀기만 하고 앞사람을 따라 가야하니 다리도 아프고 힘들어 할 때 잠시 쉬며 걸어온 길을 뒤돌아본다. 내 자리는 아직 그 자리 같지만 그래도 지금까지 굽이굽이 보이지 않을 정도로 까마득히 걸어온 산길을 보노라면 '그래도 내가 많은 길을 걸어왔구나' 하는 것을 느낄 때가 있다.

그렇다. 40대 직장생활은 중간자 역할로 위로 눈치를 봐야하고 아래 직원들에게도 잘해야 하는 힌든 인생 등산길이다. 힘들어 할 때 잠시 생각하면 아니 '내가 그동안 무슨 일을 하며 살아왔지' 하는 의문감도 들 때가 있지만 그래도 살아온 인생길을 뒤돌아보며 곰곰이 생각하면 사회 구성원으로서 우리 가족의 가장으로서 책임감을 다하며 지금까지 살아왔다는 것에 나 자신에게 위로와 격려를 보낸다.

40대에 이르면 나의 삶에 인생 계획서를 멋지게 만들어 목표를 향해 열심히 살고 싶다
5년 뒤에, 10년 뒤에 당신은 어디서 무엇을 위해 살고 있었으나 물음에 이렇게 대꾸할 사람이 있을지 모르겠습니다. (1년 후도 모르는데 어떻게 10년 뒤의 일까지 생각한단 말입니까?) 그러나 앞으로의 삶에 어떤 스케줄을 짜놓고 있느냐에 따라서 당신의 행로가 전혀 달라지는 것이므로, 5년 10년 뒤의 나의 모습을 막연하게라도 생각하고 있는 게 좋다.

대부분의 40대가 이구동성으로 하는 말 중에, '30대를 정신없이 살다 보니, 시간이 어떻게 지나갔는지도 모르겠다'고 하소연하는 때가 있다. 그렇다. 30대는 일생 중에서 가장 시간이 빠르게 지나가는 시기다. 겨우 기반을 잡기 시작한 오늘의 삶의 터전을 더욱 확고히 하기 위해 질끈 눈을 감고 미래를 향해 달리는 시기이기 때문입니다. 30대는 그렇게 질끈 눈을 감고서 무작정 달리기 쉬운 시기입니다. 앞으로 가는 것인지, 옆으로 가는 것인지 분간도 못하고 달리는 것입니다. 그러다 보니 30대

후반에 이르면, 벌써 완전히 녹초가 되어 버리는 사람도 나타난다. 그들은 말합니다. (아무리 노력해도, 난 안돼...) 그런가 하면 힘을 비축하겠다는 뜻인지 처음부터 땀흘려 뛰는 것은 멀찌감치 뒤로 미루고, 30대 중반까지도 어슬렁거리고 있는 사람이 있다. 그들은 이렇게 말합니다. (인생의 승부는 어차피 나중에 웃는 자의 것이야.) 목표가 있다는 것과 없다는 것은 이렇게 차이가 난다. 골인지점의 목표가 분명하지 않은 마라톤 경기를 상상할수 없듯이 인생도 골인지점의 목표를 정해 놔야 페이스를 조정할 수가 있다.

30대에서 40대로 넘어가는 시기에는 확고한 인생 시간표를 만들어 놔야 한다. 계획표 없이 30대를 살아가는 사람은 마치 나침반도 없이 출항한 배와 같이 인생이라는 바다를 제멋대로 질주하게 될 것이다. 물론 인생의 모든 일이 계획표대로 되는 것은 아니다
인생계획서는 인생의 삶을 이끌어 나가는 힘의 원천이 되는 것이다.

5
인생질문

50대의 나에게 해주고 싶은 말

거절, 너를 위한 거절도 필요하잖니?

김 모 니 카

어쩌면 그렇게 운명처럼 환경이 너를 조여 왔을까
외면이나 거절이 쉽지 않았던 너의 성향을 주변 사람들은 잘도 이용했지
타인이라면 보지 않으면 되었지만 가족이라면 다르잖어
그래서 떠 안은 시간들이 참 길기도 길다
시어머니부터, 시아버지, 엄마, 아버지까지
나는 여전히 부모님들을 병원에 모시고 부모님들의 식사를 공양하고
부모님들의 손발이 되어야 해
매번 바뀌는 요양보호사와 친해야 하고
아기 같은 부모를 어르고 달래고.
그들이 한결같이 사랑하던 자식들은 어디로 가고
외면했던 나만 남았을까
떠나간 시어른에겐 여한이 없어 다행이라 위로하고
남은 부모님은 어차피 내 몫이라고 치부했지
하지만 돌아보니, 외면해도 될 시간이 참 많았어
마음 편한 것도 좋고 효녀 딸도 좋지만
너는 너의 일을 중단하고 주저 앉아야 했잖아
지금도 여전히 너는 지치고 힘들며 우울하잖아
습관처럼 되어버린 희생의 결과는 뭐니....
어차피 수순처럼 부모는 떠날텐데
누가 네게 네 수고를 위로해 주겠니
지나니 아무것도 아니던데 말야
그럼에도 너! 거절 못하지?
너는 외면 못해
그렇다면 말야, 조금은 현명하게
너를 위한 게으름을 선택해봐
너를 위한 시간을 정해 봐, 그것만은 양보할 수 없는 기준을 확보해 봐
너를 위한 거절의 선을 분명히 해야 해
너를 위한 최소한의 행복!

50대를 살고 있는 지금의 나를 위해
'제주살이'그리고'제주올레'를 통해 인생을 돌아보다

김 영 통

퇴직, 그리고 '제주살이' 시동을 걸다.
2021년 7월, 30년 이상을 대학 교육에 헌신하고, 50대 후반 조금 이른 나이에 명예롭게 퇴직하였다. 그해 10월 난 홀로 '제주살이'를 결심했다. 오랜 대학 생활을 정리하고 오롯이 나만을 위한'보상'과'사색의 시간'을 갖고 싶었다. 나의 버킷리스트 1호가 마침내 이루어지는 순간이었다.

올레길 중 가장 아름답다고 정평이 나 있는'올레 7코스'를 걷는다. 7코스 시작에 마주한 서귀포의 바다와 파도는 눈이 부시도록 아름다웠다. 힘차게 부서지는 파도의 물보라는 마치 나의 젊은 시절처럼 화려했고 거침이 없었다.

그것도 잠시,
월평마을로 이어지는 법환 포구부터 하늘이 심상치 않았다. 제주의 날씨는 변화무쌍하다고 귀에 못이 박히도록 들었지만, 현실을 마주한 적이 없기에 당황스러웠다. 제주 사람들은 이곳 법환 포구를'태풍의 시작 길','바람과 비의 시작 길'이라고 한다.

가늘게 시작한 비가 점차 굵어지기 시작하면서, 순간 발걸음이 꼬이기 시작했다. 순식간이었다. 비와 바람에 폭풍까지 몰아치기 시작한다.'무념무상'오롯이 걷는 데만 집중했다. 아니 집중하려 했다. 그럴수록 온갖 상념이 나의 마음을 씁쓸하고 애잔하게 만들었다.

'회상','후회','미련','엄마','인연', 속세의 형편없는 단어들만 귓가에 맴돈다. 지난 30년 명예롭게 은퇴한 자신감은 온데간데없고 자책감만이 가슴에 솟구쳐 올랐다. 걷는 내내 가슴이 먹먹해져 견딜 수가 없었다.

비와 바람에 부딪힌 눈물이 조각되어 파도 소리와 함께 내 귓불을 때렸다.'윙윙'인지 '엉엉'인지 바람 소리에 묻혀 알 수 없는 소리가 내 가슴을 도려내고 있었다.

나의 Third Age
보이지 않는 상상의 아름다움을 찾다

김 영 희

영원할 것 같아 때로는 지루하게 느껴지던 젊은 날이 시간 속으로 점점 소멸해가는 50대가 되었구나. 가쁘게 휘몰아치던 숨을 조금쯤은 편안하게 쉬는 시기가 되었어. 다른 사람의 말과 행동을 평가하지 않는 나이이고, 나와 타인의 세상을 내 뜻대로 바꿀 수 있다고 생각했던 시기도 지나가고 있음이야. 늘 들끓기만 했던 젊음을 지나, 하늘의 뜻을 알게 된다는 쉰 살에 이르니 '그래, 그때 그 일이 왜 나에게 일어났었는지 알겠어.' 종종 혼자 하는 말이 늘어나는구나. 절대 받아들일 수 없었던, 하여 저항하던 그 현실들이 왜 전개되었는지 아주 조금은 알 것도 같은 나이가 되었다.

큰 아이가 서른 살이 되면서 사랑하는 남자를 데리고 왔다. 같은 직장 동료인데 아주 귀엽게 생긴 남자다. 어린애 같은 딸아이가 어느새 결혼을 한다. 일찍 철이 들어 그간 엄마의 큰 버팀목이었던 딸이 제 짝을 찾아 떠나간단다.
3월의 날씨는 변덕쟁이다. 맑다가도 어느새 눈이 내려 질척거리는 진눈깨비 쌓인 길을 쏘다니며 딸아이 혼수 준비를 하고, 신혼집에 살림을 차려주면서 설레기도 하고 서운하기도 하고 만감이 교차한다. 늘 품 안에서 재롱만 부려줄 것이라는 환상은 저 멀리로 사라지는 순간들이 연일 펼쳐지던 그때.
신혼여행에서 돌아온 딸아이는 제 집이라고 이름 붙여진 곳으로 돌아갔다. 허전하고 아쉬운 기분, 그러나 뿌듯함도 느껴지는 기분, 이 복잡 미묘한 감정을 무엇으로 표현해야 할지 종잡을 수 없을 뿐이다. 일주일 간 감기몸살을 앓고 겨우 몸을 추스르니 집안이 빈 집 같다.

큰 아이가 출산 예정일을 3일 앞두고 있는데 둘째가 결혼을 한다. 만삭의 배를 안고 동생의 결혼식장에서 마냥 신난 철부지 같은 서른을 갓 넘긴 딸아이는 여전히 어린아이 때처럼 동생 일이라면 열 일 제쳐두고 앞장선다. 만삭으로 힘들지 않으냐는 질문에 "전혀!!!" 웃음을 한 보따리 안고 왔다. 복작거리는 서울의 낯선 건물 결혼식장에서 식을 마치고 폐백을 받으며 난 울음보를 터트렸다. 며늘아기 보기 민망했지만 내 슬픔은 감출 수도 버릴 수도 없다. 순응하며 살아내야 했던 지난날들의 슬픔이 눈물로 말하고 있다.
한 아이는 결혼이라는 이름으로 내 곁을 떠나가고, 한 아이가 아내를 가족으로 데리고 왔으니 자식농사는 끝이 났다. 허전함을 토로하기 전에 기쁨으로 하루하루를 열어야 하는 것은 부모로서의 책무인데도 불구하고 묻어놓고 지낸 여러 날들이 아쉽고 아프기만 하다.

꿈꾸던 세상을 향해 나의 시간을 펼칠 수 있는 시간이 돌아왔다. 서둘러 은퇴를 하고 습작 노트를 끼고 산으로 들로 자유로이 다닐 수 있는 나날들이 이어지고 있다.
가보고 싶던 인도 라다크를 다녀오면서 그간 내가 누려온 풍요를 돌이켜 본다.
바람, 흙, 돌, 만년설 그것밖에는 볼 것도 없는 황량한 곳, 햇볕에 그을리고 가난을 몸에 새긴 고산지 여성들. 열악한 환경 속에서도 여행자에게 웃음과 차 한 잔을 내어주는 라다크 여인들을 바라보며 나를 돌아본다. 내가 걸어온 길이 힘들고 슬펐다고 이야기하는 것은 이제 접어야겠다.
좀 더 겸손해져야 한다고 반성도 하고, 내가 누리고 있는 이만한 환경은 행복한 것이라고 자위해 보면서 첫 번째 시집 『양파의 완성』을 발간했다. 시아버님께서 가장 기뻐하신다. 아이들 잘 키우고 나면 업어주겠다고 약속했는데 이젠 힘이 없어 업을 수가 없다 하시며 웃으신다.

시간들은 하루 종일 내 것이다. 새벽까지 무언가를 끼적이다가 늦게 잠들고 늦게 일어나도 누구의 제재도 받지 않으니 여유라는 단어는 오롯이 내 것이다. 한 잔의 차를 놓고 그간의 속내를 컴퓨터 자판에서 하소연하면서 웃고 울고 회포를 풀어나가는 치유의 시간이다. 나만이 누릴 수 있는 나의 Third Age가 시작되었다. 나물무침에 참기름 몇 방울을 첨가하듯이 가끔 손자들이 감기라도 걸리면 며칠씩 다녀오는 자식들 집 나들이는 생의 활력을 더해준다. 2차 성장을 향해 나가는 내게 찾아온 새로운 즐거움, 50대가 무르익어 가고 있다.

무언가를 꼭 이루려고, 더 많은 것을 가지려고 애쓰던 젊은 날들이 떠올려지면 웃음이 나는 시기다. 뭐 그리도 대단한 것을 취하겠다고 애를 태웠는지……
모든 것은 자연스럽게 흘러가고 자연스러운 결과를 남긴다는 것을 미처 깨닫지 못하고 온갖 욕망으로 들끓던 시간들이 꿈에서 깨어난 듯 아련하구나. 어쩌면 작가로서의 꿈을 이루지 못할 것이라 지레 겁먹었던 시간들도 미소를 끌고 온다. 다소 늦게 시작했지만 꿈꾸던 세계로 진입을 했고, 결과도 괜찮은 편이구나.
인생은 순리대로 풀린다는 옛 어른들의 말씀처럼 다소곳해져야 하고 낮아져야 하는 나이야. 마음의 빗장을 열 수 있는 시기, 나 자신을 믿을 수 있는 시기, 내가 받아들고 펼치면서 걸어온 길들이 내 몫의 생이라고 인정해야 하는 시기야.

삭막한 세상이라고 말들을 하는 현대사회.
이 삭막한 세상에서 은유로 내 삶을 노래할 수 있는 지금, 되돌아보면 세상의 많은 길을 걸어야하는 고된 시간도 있었지만, 보이지 않는 것을 상상하고 꿈꾸던 아름다움도 있었어.
그때의 그 상상과 꿈은 일종의 마법처럼 나를 여기까지 데리고 온 것 같구나. 자식들 뒷바라지로 숨 가쁘던 그 50대!
그 시절이 있었기에 오늘을 여유로 열 수 있는 것이겠지. 조금씩 철이 들어가던 그 오십 대의 너를 오늘 뒤돌아보니 어느새 꽤 먼 곳에 두고 왔구나.

가족사진

김 응 섭

며칠 전 오랜만의 한가로운 시간을 맞아 서재를 정리하다가 오래된 사진첩을 발견했다. 몇 번의 이사를 하면서 책장 속에 숨겨져 있던 사진첩 속에서 오래된 먼지와 함께 낡은 추억이 그림처럼 살아난다. 초임발령 시절 교직원들과 함께 찍은 사진 속에서 목덜미까지 길게 늘어뜨린 장발의 젊은 청년이 웃고 있다. 까무잡잡한 얼굴에 헐렁한 바지차림과 꽃무늬 셔츠를 입은 청년은 나룻배 끝에 앉아 바람에 날리는 머리카락을 쓸어 넘기며 강기슭으로 물들어 가는 단풍과 함께 가을의 한 변곡점을 지나고 있었다.
오랜만에 만나보게 되는 잊고 살았던 모습의 교직원들이 급 소환된다. 당시 50대 초반의 교감선생님은 이미 작고하신지 오래 되었고, 내 바로 위의 선배선생님은 70대 중반이 되셨지만 젊은이들 못지않게 왕성한 혈기를 유지하시면서 넉넉한 노후를 즐기고 계신다. 두 세분의 선생님은 소식조차 전하지 못하고 있어서 안타까움이 더 크게 느껴졌다. 잊고 살려 한 것이 아닌데 잊고 살았다는 현실이 서글프다.
뒷장에는 몇 년을 훌쩍 뛰어넘어 중년이 된 청년이 바닷가 모래사장에서 떠오르는 해를 배경으로 아이들 몇 명과 함께 사진 속으로 들어가고 있다. 어느 분교장에 근무할 때 내륙지역의 학생들에게 바닷가 체험을 하게 해 주는 프로그램에 참여를 하게 되었는데, 함께 한 아이들의 등쌀에 떠밀려 아침부터 바닷가를 활보해야만 했던 시간들이 생생하게 되살아난다. 벌써 중년의 나이를 넘어서 가끔 안부를 물어오는 아이들의 어린 시간이 새삼 그리워진다.
사진첩 몇 장을 넘기다보니 갓난아이 모습의 큰아들이 아내의 품에 안겨 활짝 웃는 사진이 보인다. 지금처럼 디지털 카메라가 없던 시절이라 필름카메라에 찍혀 있는 모습이 시간이 지나면서 약간 빛바랜 모습이 정겹게 느껴진다.
한 때는 사진 찍는 것을 좋아해서 당시로는 조금 비싼 카메라를 구입한 적이 있었다. 할부로 장만한 카메라는 나의 재산 1호가 되어 틈이 날 때마다 닦고 매만지며 애지중지했었다. 그런데 어느 날 퇴근을 해 보니 집은 난장판이 되어 있고 카메라 가방이 흔적도 없이 사라져 버렸다. 장롱을 뒤져 옷가지들이 방바닥에 어지럽게 널브러져 있고 책상 위의 있던 책이며 장식품들이 엉망으로 뒤엉켜 있었는데 다행으로 용돈을 넣어 두었던 책상 서랍 속의 돈은 그대로인 듯 했다(당시는 현금카드 사용이 시행되기 전으로 현금으로만 거래를 하던 시절이라 늘 서랍에는 얼마의 현금을 보관하고 있었다). 가까운 파출소에 도난 신고를 하고 며칠을 기다려 보았지만 결국 잃어버린 카메라는 찾았다는 소식을 듣지 못했다. 카메라만을 가지고 갈 생각으로 들어온 것이 분명한 사건이었지만 카메라를 잃어버린 서운함은 한동안 마음속을 떠나지 않았다. 그 덕분에 몇 년 동안 가족사진을 찍을 기회가 적어서 가족사진도 많이 남기지 못하게 되었다.

큰아들과 10년 터울을 두고 둘째 아들이 선물처럼 태어났다. 가깝게 지내던 선후배들이 나보다 더 좋아했고 축하를 해 주었다. 등을 떠밀리다시피 하면서 백일 상도 차려주고 네 명의 가족사진도 찍었다. 이후 나는 아내 몰래 새로운 카메라를 구입했다. 카메라를 사가지고 집에 돌아온 나를 보고 화를 낼 줄 알았던 아내가 더 반가워하는 아이러니한 분위기가 아직도 생생하다. 할부도 끝나지 않은 카메라를 잃어버리고 안타까워하던 내 모습이 못내 아쉬워서 언제 새로 구입을 하라고 권하려던 차였다며 할부금 일부를 지원해 주겠다는 아내가 고마워 틈나는 대로 가족들을 모델삼아 사진을 찍어 주었다.
10년 터울의 두 아들과 함께 가족사진을 찍는 일은 그리 쉽지만은 않았다. 이미 훌쩍 커버린 큰아들은 자기 일정에 맞추느라 함께 하는 시간이 줄어들고, 이런 저런 일들이 가족사진보다 우선순위로 처리되다 보니 자연적으로 온가족이 함께 하는 사진은 그 숫자가 늘어나지 않았다.
가족사진을 찾아보려고 다른 사진첩을 뒤적였다. 아내가 정리해 둔 사진첩 몇 권을 뒤적여도 온 가족이 함께 있는 사진을 찾아보기 힘들다. 사진을 많이 찍어 주었다고 하지만 정작 내 모습은 가족사진 속에서 늘 빠져 있었다. 다행스럽게도 누군가에게 부탁을 해서 찍은 가족사진은 구도나 초점 등에서 썩 마을에 들지 않아 보관되지 못하는 수모를 겪은 것이 분명하다.
사진첩 구경을 하느라 애초 정리하려던 서재는 정리도 제대로 하지 못하고 마무리를 하고 거실로 나왔다. 거실 쇼파 뒤에 걸어놓은 가족사진을 찬찬히 들여다본다. 둘째아들이 군대에 가기 전 어느 명절날에 전격적으로 사진관에서 찍은 가족사진이다. 사진 속에 담겨 있는 시간들이 파노라마처럼 그려진다.
사진은 기억이다. 사진 속에는 이야기가 숨어 있고 시대의 유행들이 담겨져 있다. 그래서 시간이 지난 사진을 보면 잊혀졌던 기억들이 소환되곤 한다.
엊그제 찍은 사진이야 사진 속에 이야기가 숨을 틈이 없었겠지만 그래도 한 숨 돌려 다시 보면 또 다른 이야기가 숨겨져 있음을 알게 된다.
사진만큼은 아니었겠지만 나에게 삶을 반추해 볼 기회가 주어졌다. 가족의 품을 떠나 객지 아닌 객지에서 2년여의 시간을 보내게 된 것이다. 집에서 자동차로 한 시간 반 남짓 되는 거리지만 매일 출퇴근하기에는 버거운 거리라서 1.5룸을 임대해서 독립된 생활을 하게 되었다. 덕분에 퇴근 이후 혼자만의 시간이 만들어지고 가끔씩 지난 시간을 되돌아볼 수 있는 기회도 생겼다. 지난 시간을 되돌아본다는 것이 얼마나 소중한가. 앞만 보고 달려도 어려운 세상살이라고 하는데 앞만 보고 달리다보면 내가 어디쯤 가고 있는지조차 모르는 때가 많다. 혼자 외로이 빈 들판에 서서 불어오는 바람을 맞이하고 있는 나를 보게 되는 시간이 얼마나 고맙게 느껴지는가?

빈 시간의 한 모퉁이를 채워 주는 것이 핸드폰에 저장되어 있는 사진이다. 저장되어 있는 사진을 뒤적이면서 지난 시간을 되돌아본다. 연수를 통해서 만나게 된 사람들과 이런저런 인연으로 같은 공간에서 시간을 저장해 둔 사진들이 허허로운 시간을 채워준다.
오십 대 중반에 연수를 함께 참여하던 사람들과 해외연수의 기회가 주어졌다. 열흘 정도의 시간으로 서유럽 몇 개 나라를 방문하게 되었는데 방문지가 많다보니 매일 같이 아침마다 짐을 챙겨 버스로 이동을 하게 되었다. 특별한 계기도 없었지만 별다른 의미도 없이 늘 하던 대로 내 가방도 챙기고 여유가 생기면 다른 사람들의 캐리어를 버스에 실어주기도 하고 버스에서 내리면 버스기사가 내려주는 캐리어를 옮겨주기도 했는데, 동행한 연수생들은 그런 나의 모습이 많이 생소했던지 여행 후기에 나의 모습을 좋게 소개하기도 하고 부끄러운 칭송을 받기도 했다. 모두가 지치고 힘든 여행에서 다른 사람의 짐을 챙기는 모습이 좋아보였다고 한마디씩 거들었다. 어떤 연수생은 그런 나의 모습을 사진으로 담아 SNS로 전송해 주기도 했다.

바쁘지만 시간을 내서 뒤를 돌아보기도 하고 잠깐의 여유로운 시간이지만 다른 사람들을 위해서 쓸 수 있는 틈이 생긴 나의 오십대는 그래서 편안하게 보낸 듯하다.
가족사진은 사진의 배경이 중요하지 않다. 가족이 함께 하는 자체만으로도 충분한 배경이 된다. 사진 속으로 나누는 가족들의 이야기는 오래 될수록 소중해진다.
가족처럼 생각하며 만나던 사람들과 함께 한 시간들이 그림처럼 담겨져 있는 사진을 보면서 소중한 시간을 함께 보낸 고마움이 추억으로 전해진다. 그들이 있어 내가 행복했고 그들 덕분에 행복한 그림이 만들어진 사진을 간직하게 되어 고마운 마음으로 생활했던 나의 오십대는 그래서 더욱 행복했다고 가족사진처럼 소중한 또 다른 한 장의 가족사진으로 남기고 싶다.

제발 운동 좀 하면서 살아라
바쁘다는 핑계가 건강을 대신하진 않는다

민 정 숙

나는 어렸을 때부터 몸이 건강한 편이 아니었다. 또래들보다 키도 작았고 살집도 없었다. 겨울철에는 감기를 달고 살았고 걸핏하면 몸 어딘가가 시원찮아서 약도 자주 먹었다. 내가 병약함을 걱정하신 어머니께서 인삼이나 단호박 등을 푹 삶아서 연신 먹이곤 하셨던 기억이 새롭다.

초중고를 다니면서 특별히 잘하는 운동도 없었고 무엇보다 운동에는 취미도 없었다. 성격도 내성적이라 다른 학생들과 어울려서 뛰놀기도 좋아하는 편이 아니었고 그냥 별 말 없이 조용히 교실 한구석을 지키는 학생이었다.

운동은 아니지만 그나마 몸을 많이 움직이게 된 것은 교원생활을 하면서부터이다. 아이들을 가르치느라 율동도 하고, 교보재 등을 준비하느라 이리저리 뛰어다니고, 학교 체육대회를 맞아서 예행연습을 며칠간씩 하면 몸에 무리도 갔으니 이것도 운동이라면 운동이 아닐까.

특별히 따로 운동을 안 하는 나의 생활패턴은 결혼 후에도 이어졌다. 시부모님 모시랴 아이들 키우랴 학교에 출근하랴 도무지 운동할 시간을 낼 수가 없었다. 남편은 잔병치레를 안 하는 건강한 체질인데 나는 가끔 이런저런 약도 먹고 몸져눕기도 하니 건강한 남편이 부러울 때가 많았다.

내가 운동을 해야겠다고 생각하고 특별히 헬스장을 끊어서 운동을 몇 년간 다닌 것은 50대였다. 마침 집 근처에 헬스장이 있어서 학교일을 마치고 퇴근해서 걷기운동 등 유산소 운동 위주로 나름 열심히 운동을 했다. 헬스장 런닝머신에서 하도 많이 걸어서 다리에 근육이 붙었다고 시어머니께서 말씀을 하신 적도 있을 정도로.

그런데 내가 다니던 헬스장이 코로나로 문을 닫으면서 나의 규칙적인 운동도 중단됐다. 헬스장에서 열심히 운동을 할 때는 나름 몸의 컨디션도 좋고 기분도 상쾌했는데 요즘은 늘상 몸도 찌뿌둥하고 얼굴도 푸석한 게 피곤을 몸에 달고 사는 것 같다. 코로나의 최대 피해자는 내 몸이라는 생각이 들 정도로.

운동을 다시 해야 한다는 생각은 강박관념처럼 드는데 요즘 아들이 하는 사업을 도와주랴 살림하랴 정말 시간을 내기가 힘들다. 지금 몸을 잘 관리해야 노년을 건강하게 지낼 텐데 걱정이 들 때가 많다.

나는 곧 다시 운동을 시작할 생각을 다지고 있다. 마침 내가 사는 아파트 단지에도 저렴하게 이용할 수 있는 헬스장이 있으니 헬스장 멀어서 운동하러 다니기 어렵다는 말은 못 할 형편이다. 장롱 어딘가에 있을 예전 운동복부터 당장 찾아야지. 신발장에서 잠자는 운동화도 먼지를 싹 털고.

실패는 성공의 어머니
한 번쯤 누구나 넘어질 수 있다

오 선 민

인생을 살면서 누구나 한 번쯤은 실패도 하고 넘어지기도 하고 좌절도 느껴봤을 것이다.
한 번 넘어지니까 일어나기가 쉽지 않은 것도 잘 알 것이다.
나의 50대는 그야말로 깜깜한 동굴 속에 갇혀 아무것도 보이지 않는 암흑이었다. 생각해 보면 어떻게 그 시간을 견뎌 왔는지 나 자신도 모르겠다. 그때는 그저 이 또한 지나가리라 하면서 시간이 지나가기만을 기도 했다.
어떻게 시간이 지나갔는지, 어떻게 내가 생활했는지도 모를 정도로 아득하기만 했던 나의 50대~!
바닥의 바닥까지 절망을 느꼈다. 하지만 그대로 넘어져 있을 수만은 없었다. 무엇이든 해야 했고, 무엇이든 딛고 일어서야 했다. 나 자신에게 고마운 것은 글을 쓰는 재주가 있어서 시를 쓰면서 극복했던 사실이다. 시 쓰기가 아니었으면 어떻게 견디어 냈을까~!
그래서 그런지 나의 시들은 대부분 어두운 면이 많이 보인다. 남들처럼 예쁜 사랑시도 쓰고 아름다운 시도 쓰고 싶지만, 도무지 나에게 그런 시는 나오지 않았다. 남들이 읽으면 이 사람은 왜 시가 다 이리 어둡고 우울할까 생각할지도 모르지만 그건 나를 잘 몰라서 하는 이야기일 것이다. 노래를 부르든지 글을 쓰든지 읽어 보면 대충 그 사람을 알 수 있지 않을까?

난 나처럼 어려운 사람들이 분명 많이 있으리라 생각한다. 그래서 내 글을 읽고 함께 공감해 주고 느끼고 그 속에서 희망을 보기를 바라는 마음에 열심히 시를 쓴다.
2021년도에 첫 시집을 냈다. 너무 기뻤다. 시집을 내고 싶어도 못 내고 있었는데 원주 문화재단 문화예술 지원사업에 선정되어 마침내 첫 시집을 낼 수 있었다.
2023년 올해 또 지원사업에 선정되어 두 번째 시집을 출간했다. 하늘이 무너져도 솟아날 구멍이 있다고 했던가. 뜻을 둔 곳에는 반드시 길이 있기 마련이라는 걸 알았다. 누구라도 절망이 있으면 그건 희망이 있다는 뜻이라는 걸 알았으면 좋겠다.

나의 50대는 절망과 희망을 동시에 느낀 시절이다. 속에 쌓였던 화도 점차 가라 않고 연륜이라는 것이 쌓여가는 것을 느낀 시절이기도 하다. 그만큼 나이가 들어간다는 뜻일까?
생각해 보면 참으로 긴 것 같은 세월도 눈 깜짝할 사이에 지나간다는 어른들의 말씀이 맞다. 어느새 친구들과 이야기하다 보면 우리도 이만큼 세월을 지나왔다고 느끼니 말이다.

선민아~!
절망을 절망으로 끝내지 않고 끝까지 희망을 붙들고 살아 온 네가 기특하다.
앞으로는 좋은 일들과 행복하고 즐거운 일들만 가득하기를 기도한다.
장한 오선민. 잘했다고 네 머리를 쓰다듬어 준다.

하늘이 알고, 땅이 알고, 너도 아는데, 나만 나를 모르는 50대
자아에 도취되어 자신을 잃고 사는 50

이 명 재

지금까지도 비교적 솔직히 썼지만, 이번 50대는 좀 더 디테일하게 써야 50대가 잘 표현될 것 같아, 앞뒤 살필 것 없이 생각나는 대로 표현하고자 한다.
50대는 추수기간이다.
20대에 취업이나 사업을 시작하여 30년을 이어 온 결과를 셈하는 기간인 것이다.
"+" 요인은 더하고, "-" 요인은 뺄셈 하여 시간의 가치를 n승으로 처리하여 각자의 몫을 가지는 시기다.
시간의 가치 n승은 잘 산사람의 시간가치는 클 것이고, 잘 못 산 사람의 시간가치는 작지만 그 결과는 덧셈과 뺄셈이 아니라 n승만큼 복리로 계산되는 것이다.
재벌의 한 시간과 보통사람의 한 시간은 단순한 곱셈이 아닌 n승이다.
이런 연유에서 주어진 30년을 최선을 다해 살아야 하고, 열심히 일하는 것만 말하지 않는다.
모든 사람이 기본으로 열심히 하는 것이니, 일 하는 것 이외에 인간관계, 자기 발전 노력, 건 강한 생활, 충실 한 가정생활 모두를 포함하는 값이 합산된 결과 값이다.
직장생활을 한 사람은 그 값만큼 지위가 올라가 있을 것이고, 사업을 한 사람은 그 값만큼 부가 축적이 되어 있을 것이다.
앞으로 정년까지 10년은 내가 만들어 가는 세상이 아닌, 주위사람들이 만들어 주는 세상을 사 는 것이니, 내 가 가고 싶지 않아도 주위에서 가도록 길을 터주고, 내가 멈추고 쉬고 싶어도 주위 가 나를 쉬도록 두고 보지 를 않는다.
내가 쌓은 추수한 결과물에 그들은 어떻게 하든 공생하려 노력을 하는 시기인 것이다.
사업도 마찬가지일 것이니, 사업이 이루어 놓은 결과물에 동료가 되었든, 가족이 되었든, 사업 상 관계든, 상관없이 같은 동료이기를 원하는 것이다.
반대로 결과물이 보잘것없이 형편없다면, 그들은 가차 없이 배척당하는 세대이다.
이때부터는 내가 얻기 싫어도 그들이 스스로 더 많은 것을 얻을 수 있게 환경을 조성한다.
내가 커야 그들도 크기 때문이다.
낯간지럽지만 아침 문안인사로 모닝커피를 같이 하는 사람들이 문이 닳도록

드나들고, 오후가 되면 만찬을 누 구와 할까 고민하게 되는 시기다. 그동안의
수고를 잊고 취하는 시기다.
한마디로 세상의 중심에 서있는 호기로운 계절이 이때다.
일생에 누릴 호사를 이때 모두 누리는 시기이기도 하다.
그들은 꼭 나를 끼워 넣고 모든 일을 도모하려고 한다.
같은 일족으로의 헤게모니를 누리려 하는 것으로, 나의 레벨을 본인도 동일 시
하려는 것으로, 유치하지만 이 런일 들이 먹히기도 하는 게 사회다.
열심히 일만 하는 사람이 있고, 헤게모니를 잘 이용하는 사람이 있다면 분명
50대의 추수기에 가서는 일하는 건 기본이고, 늦게 남아 일하는 사람은 무능해
보일 수도 있다는 것입니다.

헤게모니를 잘 이용한 사람의 추수 값이 더 큰 게 사회라면, 공정하지 못하다고,
공정론을 들고 나올 것인 가? 사회는 그런 곳이 사회인 것이라면, 지탄받아야 할까?
소설을 써보자, 저녁을 먹고, 당구장에서 한 게임을 놀고 들어오면, 열심히 일하시는
분이 아직도 일을 하고 계신다면, 일하시는 분 보다 함께 만찬을 하고 당구를 치신
분이 더 유능하게 보이는 이유는, 누구든 열심히
혼자 살 수 없는 사회에 잘 적응하여 생존하는 것도 능력에 속하며, 것보다 더 가치
있는 것일 수도 있을 것 이다.
그 생존 전략에서 사람은 누구나 영역을 가진다고 볼 수 있고, 영역이 넓은 사람의
그늘에서 추위와 더위, 비와 바람을 피하고 싶은 욕망도 있을 것이다.
사람마다 그 그늘의 넓이가 다를 텐데 그 넓이는 무엇이 결정할까?
넓이 A = P/I × R로 표시하면 거의 근사치가 아닐까?
넓이 A = 추수 값인 자산(P)이나 지위에 비례하고, 우리가 내심으로 간직한 진정한
그 사람의 가치(I)와 반비례하며, 이용가능 한 기간(권력과의 거리) R을 곱한 값이
가치가 가지는 넓이 일 것 같다.
어쨌든 나의 그늘은 이 넓이만큼을 갖는다고 가정한다며, 최대한 나의 그늘이
수용할 수 있는 인원수도 따라 서 결정이 되는 것이다.
내가 수용할 넓이에 비해 그늘에 들어온 사람의 수가 더 많으면, 세간의 이목이
집중되어 지탄 의 대상이 되 고, 더 적으면 나머지 생이 어려워지는 원리가 아닐까?

그런데 이 시기에 정신 줄을 놓으면 평생 쌓아 온 것을 한 번에 잃을 수도 있다는
것이고, 최소한 그것은 치명상은 아닐지라도, 이후 살아가는 길이 험난할 수도
있다는 것이다.
예를 들어 어떤 사람이 대단히 넓고 큰 그늘을 가지고 있어, 그 영역에서 수많은

사람들 이 눈과 비를 피하 고 더위를 피했지만, 어느 추운 겨울날 그분이 초라한 모습으로 시내버스에 오르는 모습을 봤다고 치자, 왜 그 사람이 그리 변했는지는 직설적으로 표현은 못하지만, 내 심으로 모두 그 이유를 잘 알고 있는 것이다.
그 사람에게 모두가 가지고 있었던 내심의 가치 값이 크게 작용하고, 권력과의 거리가 가지는 두 값이 일시 에 소멸하여 그늘이 사라진 결과일 것이다.
불가 근, 불가 원이란 말이 있다.
가깝지도 멀지도 않은 권력의 거리가 필요한 것이다.
사업자의 경우 법규의 준수라든지 탈법의 방법으로 바꾸어 생각하면 이야기하고자 하는 목표에 근접할 것으 로 생각을 한다.
일생을 본인의 모습이 아닌 헤게모니에 취해 살다 보니, 50대의 그늘이 짙고 선명한 것까지는 좋았는데, 그늘에서 안주하던 사람들의 내심의 평가 값과 권력의 거리가 멀어지니 두 값 모두 사라져 한 순간에 모두를 잃어버린 결과가 된 것이다.

누구든 평생을 살면서 올바른 길로 살아보려 노력을 하며 사는 것은 기본인 것이다.
20대부터 50대에 이르기까지 그 사람의 살던 모습은 누가 말을 해 주지 않아도, 내심으로 모두 정확히 평가 를 하고 있는 것이다.
따라서 보이지 않는 눈에 의해 투명인간처럼 나를 투시해 보고 있으며, 이 투시 안(眼)들은 언제 고 나를 향 해 날카로운 평가를 들이 밀 수 있는 것이다.
이미 50대가 되면 나에 대한 가치를 나만 모르지 세상 모두는 나를 알고 있는 것이다.
가시화된 가치와 내 그늘에 모여든 사람의 수로 거들먹거리며 50대를 보내지만, 세상 모든 사람들은 유리알처럼 나를 꿰고 있는 것이다.

상대방이 말하는 의도가 안 보이다가 보이기 시작하는 시기는 60대 이후나 가능하지만, 정작 나를 정확히 보는 시선은 시기와 때와는 상관없이 20대부터 누구나 나를 볼 수 있으니,
내가 살아온 길은 하늘이 알고, 땅이 알고, 네가 알고 있는데, 정작 나만 나를 모르고 취해 살고 있는 50대! 세상은 내 가치를 얼마로 평가하는지 궁금했던 때가 50대였다.

50대의 나에게

정 향 분

삶의 순간들을 소중하게 여기며 나의 인생을 살아라!

이 시대를 사는 사람들 대부분의 50대에는 인생에서 참으로 많은 일들이 생기는 시기이다.
자녀교육에 많은 힘을 써야 하고, 노년기의 부모님을 모시느라 쉴 사이 없이 바쁘기도 하고, 직장에서는 중견의 큰 책임감으로 일 해야 하는 예민한 시간들이고 ... 많은 가족의 대소사가 생기는 시기이기도 하다. 그저 바쁜 날들이었다.

내안의 50대를 들여다 보니 참 팍팍하기 그지없었다.
삶에서 누릴 수 있는 작은 행복들도 인생에 효율성만을 좇느라 누리지 못하고 살았었다.
그런 동안 서정이 가득하고, 낭만적이었던 내 젊은 시절의 감성들은 많이 퇴색 되었다.
꿈결을 스쳐간 음악들, 담아놓지 못해 잃어버린 음악들, 이별이나 외로움이 주던 음악들의 인간적인 감성들이 ...

비 내리는 저녁 무렵, 이제는 좋아했던 비를 바라보아도 감성이 잘 생기지 않는다.
비조차 음악의 감성이 되지 않는 해 질녘 저녁처럼 늙어가는 나의 모습을 본다.

결혼하고 가정을 이뤄나가는 수십 년의 세월 동안 온전히 나만 봤던 적이 없었던 것 같다.
60대가 되어서야 그 삶 속에서 선택할 수 없었던, 분주한 일상에서 우선순위에 밀려 미처 챙기지 못하고 내려놓았었던, 그 삶들이 하나 둘 보이고 있다.
이제와 돌아보니 너무 한참 늦어버린 꿈들이다.
막연히 슬픔 같은 통증이 가슴 한편을 찌른다.

조금만 나를 아낄 걸 그랬다.
조금만 내 욕심을 가져볼 걸 그랬다.

나의 오지랖을 줄였어야 했다.
내 삶의 주변에서, 특히나 50대의 세상에서, 내가 아니면 안 되는 줄 착각하고 무작정 달려들었었다.
사실 아무것도 아닌 내가 능력 이상 다 짜내고 나니 이젠 더 이상 줄 것도 내놓을 것도 없다.

참 미련했던 시간들이었다.

오지랖을 줄여야 했다.
삶의 순간들을 소중하게 여기며 나의 인생으로 살아야 했다.

"그것은 당신의 삶이다.
그렇기에 당신이 할 수 있는 모든 것을 해 봐라.
그리고 그것을 통해서 당신이 원하는 삶을 살 수 있도록 노력하라." 메이 제미슨의 말도 보태고 싶다.

50대의 나에게 해 주고 싶은 말

최 개 헌

나이 50이 되면 인생의 중요한 분기점이 되는 시점이다.
첫째로 건강 관리를 잘해야 하고, 둘째, 은퇴 후 인생 준비를 해야 하는 시점이기 때문이다.
두 가지 모두 삶을 리셋한다는 점에서 매우 중요한 시기라고 볼수 있다.
건강이든 인생 후반기 준비든 혼자서 척척 할 수 있는 일은 아니다.
물질적인 풍요도 중요하지만 동시에 행복하고 즐거워야 한다.
또한 삶이 만족스럽고 자유로워야 한다.
그렇다면 50대 나에게 하고 싶은 "말" 준비해야 할 중요한 과제는 무엇일까?
어떻게 살아 가는 방법이 의미 있는 삶일까를 생각하며 내가 해야 할 일을 적어 본다.

1. 가장 먼저, 나만의 "버킷리스트"를 만들자.
잘 적는 사람이 살아남는다는, 소위 '적자생존'의 시대다. '어떻게'는 나중에 문제다. '무엇을' 하고 싶은지부터 적어보자. 머릿속에만 있는 것은 머잖아 증발한다. 기록해 둬야 들여다보고 관리하고 실천할 수 있다. 목표를 세웠으면 반드시 데드라인을 정해야 한다. 쉽게 달성할 수 있는 작은 목표부터 세우고 빨리 '작은 성공'을 체험하자. 일단 성공의 맛을 보고 나면 그다음엔 가속도가 붙는다.
성공할 때마다 자신에 '적절한 보상'을 하자. 하나씩 달성해 가다 보면 내 삶이 '팔로워'에서 '퍼스트 무버'로 바뀐다.

2. 하루를 80:20 법칙으로 살아보자.
누구에게나 똑같이 하루 24시간이 주어지지만, 사람마다 가용할 수 있는 시간과 에너지는 다르다. 주어진 시간과 활용할 수 있는 에너지를 '80:20'으로 나누어서 현재에 80을, 미래에 20을 투입하자. 이러한 실천 법이 오늘과 내일을, 그리고 현재와 미래를 바람직하게 아우르는 하나의 방법이 될 수 있다.
시간과 에너지는 유한하고 사람마다 가용량이 다르다. 이를 자신에게 맞게 적절히 안배하는 것이 핵심이다.

3. 건강할 때 '관리'하자. 그렇지 않으면 '치료'가 된다.

건강 관리의 시작은 맵고 짠 음식, 과음, 흡연, 나쁜 자세 등 '익숙한 것들과의 결별' 이어야 한다. 습관을 바꾸자. 하루 7,500보 이상 걷기는 건강에 매우 도움이 된다. 걷기의 '양'보다는 '질'을 추구하라. 몸의 근육도 중요하지만, 마음 근육 키우기도 중요하다. 명상, 여행, 취미 활동 등을 통해 마음 근육을 단련하자. 모든 일에 감사하는 마음을 갖자. 건강 관리에도 열정이 필요하다. 다만, 뜨거운 열정보다 중요한 것은 지속적인 열정이다.

4. 나만의 휴식 시간과 공간, '케렌시아'를 만들자.
투우에서 소가 공격할 힘을 되찾기 위해 숨을 고르는 장소를 '케렌시아'라고 부른다. 한 치 앞을 모르는 불확실한 시대를 살아가는 현대인에게도 몸과 마음을 회복하고 쉴 수 있는 나만의, 나를 위한 케렌시아가 필요하다. 인생에는 쉼표가 필요하다. '쉼표'를 찍어야 할 곳에 '마침표'를 찍는 어리석은 행동을 해서는 안 된다.

우리 집 앞 스타벅스의 2층 구석자리처럼 케렌시아는 반드시 거창한 장소일 필요도 없고, 새벽 시간처럼 특정한 시간이나 여행, 명상 같은 행동이 될 수도 있다.

5. 독서를 통해 정신적인 성장을 멈추지 말자.
사람은 성장하는 동안은 늙지 않는다고 한다. 무엇을 해야 하는지, 어떻게 해야 하는지 잘 모를 때 독서만큼 아이디어 발굴이나 정신적 성장에 좋은 자양분은 없다. 적어도 한 달에 한 권 이상은 읽자. 꾸준한 독서를 통해 변화하는 시대에 필요한 문해력과 창의력을 높이자.

한편, 독서의 방법을 바꾸는 것도 필요하다. 그냥 읽지만 말고 독서 기록을 남기고 활용해보자. 시/수필/소설/인문교양서 등 책의 성격에 따라 읽는 방법을 달리해보자. 모든 책을 처음부터 끝까지 한 글자도 빼놓지 않고 읽을 필요는 없다.

6. 타인의 시선에서 자유로워지는 연습을 하자.
내 인생의 주인공은 나다. 남 눈치 그만보고 살자. 남에게 피해만 주지 않는다면 내가 하고 싶은 것 다 하고 살아도 된다. 그래도 아무 일도 일어나지 않는다. 남이 자기 기준으로 하는 얘기 때문에 스트레스 받지 말자. 때론 "그래서 어쩌라고?"라고를 배짱 있게 외치는 것이 오히려 마음의 평화를 가져다준다. 남의 그릇을 넘본다든가, 내 그릇과 비교한다든가 하지 말고 내 그릇에 내 삶을 채우자.
무엇보다 내가 내 삶을 진심으로 대하고 사랑해야 한다.

7. 관계에 있어서 생각과 행동을 젊게 하자.
청년으로 50년 더 살 것인가? 노년으로 50년 더 살 것인가? 내 생각과 행동에 달렸다. 항상 꼰대가 되지 않도록 경계하고 노력하자. 나이를 먹는다고 생각까지 늙는 것은 아니다. 변화하는 시대에 걸맞은 방법과 내용으로 소통하자.
다양한 사람과 폭넓은 교류를 통해 새 친구를 만나보자. 삶의 마지막 날까지 좋은 사람들과 함께 어울려 살고, 오래 기억되는 사람으로 남을 수 있도록 노력하자.

6

인생질문

60대의 나에게 해주고 싶은 말

축복받은 그대, 더욱 행복하시라

김 모 니 카

사는 것이 녹록치 않은 사람이 많다
가진 것이 없다는 것은 물질만이 아니다
마음이 가난한 사람이 훨씬 더 많다
나이가 드니 아래도 보인다
적당히 타협도 하고 외면도 하고 무시도 한다
측은지심도 눈물도 많아졌다.
그래서인지 감사하는 마음이 배가 되었다
감사하는만큼 나눌 것에 주목하게 된다
더 감사하고 더 나누며 살자
비록 내 가진 것이 소박하지만
물질이든 노동이든 마음이든
하다못해 말로 하는 위로는 또 어떤가
나눌수록 풍요로운 나를 발견하길 바란다
그 풍요로 더욱 행복해지고 싶다
축복이란 내 스스로 얻어내는 것
아름다운 보상조차 내 스스로 얻어내는 것
축복받은 그대,
더욱 행복하시라

60대 미래의 나에게...
세상에서 가장 소중한 나 자신에게...

김 영 통

최근 몇 년간 나는 몇 가지 화두를 두고 진지하게 고민했다...
나이가 들어도 중심을 지켜나가는 삶, 그리고 나다운 삶을 이루는 방법이다. 인간은 누구나 개별적 존재로, 타인을 따라 살 수 없다. 자신과 불화하지 않고 살기 위해서는 최대한'나'의 감정에 솔직한 태도를 지니고 삶의 지향을 차분하게 살펴야 한다.

죽음은 언제 나를 찾아올지 알 수 없는 일이다. 우리가 살아가고 있다는 것은 죽음 쪽에서 보면 한 걸음 한 걸음 다가오고 있다는 것임을 상기할 때, 사는 것은 곧 죽는 일이며, 생과 사는 결코 절연된 것이 아니다.

죽음이 언제 어디서 내 이름을 부를지라도 선뜻 털고 일어설 준비만은 되어있어야 할 것이다. 그러므로 나의 유서는'글'이 아닌 지금 살고 있는 '삶의 백서'가 되어야 할 것이다.

내가 화두를 가지고 고민하는 것은 새삼스럽게 깨닫기 위해서가 아니다. 본래의 깨달음을 드러내기 위해서이다. 여기 바로 이 자리에서 나의 60대를 기다리면서 말이다.

누가 진정한 부자일까?
나는 가진 것이 많든 적든 덕(德)을 닦으면서 사는 사람이 진정한 부자라고 생각한다. 덕이란 남에 대한 배려이자, 남과 나누어 갖는 것이기도 하다.

행복은 가진 것에 의해서 추구되지 않는다. 행복은 마음 안에서 찾아지는 것이기 때문이다. 같은 조건에서도 누군가는 행복을 느끼며 살고 누군가는 불만 속에서 살아가는 것이 그 이유이다.

이제 나는 모든 화두를 내려놓고, 오로지 나만을 위해 살아가는 멋진 인생을 살아가기로 한다.

행복하고 건강한 삶을 이루도록 나를 위한 소중한 시간을 가지려 한다. 내가"인생을 행복하게 살아가고 있다"는 이 감각...'나 자신으로 살아가기'란 바로 이런 게 아닐지 싶다.

지금, 이 순간에도 내 마음에는'행복'이 가득하기 때문이다.

내 안의 나를 마주하는 시간
낡았으나 녹슬지 않은 노인기의 지혜와 예술

김 영 희

2000년대에 들어서면서부터 '우리 사회는 고령화 사회로 접어들었다'는 말들이 심심찮게 매스컴에 등장한다. 베이비부머 세대 사람들은 앞만 보며 달리던 길에서 호흡을 고르며 잠시 멈춰 서야 할 때가 되었구나. 나이 듦은 누구나 공평하게 나눠 갖는 불변의 법칙이다. 누구나 지나야 하는 생의 한 주기지만 때에 이르니 조금 두렵기도 하겠다.
젊은 시절에도 노년의 시간을 준비는 해왔지만, 막연하고 짧고 단순한 생각들이었던 같다. 구체적으로 노년의 출발선에 서고 보니 체력의 한계를 느끼는 날들이 가끔 찾아와 불편한 일도 생기곤 하는구나. 하지만 "넌 아주 즐거운 노년을 보내게 될 거야. 넌 미리 준비한 특별한 시간이 있으니까." 내가 매일 이순에 이른 너에게 거는 주문이다. 하지만 유별나게 특별한 날을 꿈꾸거나, 대단한 어떤 무엇을 꿈꾸지는 않기를 바란다.

넌 이제 귀가 순해진다는 이순의 나이를 넘어섰다. 그 순해진 귀를 지니고도 가끔은 남의 이야기에 먹먹해지는 너를 볼 때면 "아직도 입놀림과는 달리 생각이 못 미치고 있구나." 하는 생각도 하지만, "그래, 너도 인간인데 어떻게 흔들리지 않을 수 있겠니." 하는 생각도 한단다. 하지만 말이다, 이젠 네 삶에 남의 인생을 대입해서 문제를 풀지는 않더구나. 네 안의 너를 바라보는 삶의 공식을 익혀가고 있는 모습이 짠하기도 하지만 잘 하고 있더구나.
바깥을 바라보고 삶을 풀어 가면 결국 시선 밖을 헤매 돈다는 진리를 네가 조금은 터득한 것 같아 안심이 되기도 한단다.

넌 어려서부터 문학에 관심이 있고, 소질도 있었던 아이였지만 여러 가지 이유들로 다 묻어놓고 살아왔구나. 오십 대에 글쓰기에 집중했으니 앞으로 열심히 달려가도 처음부터 글을 쓰며 살아온 사람들에 비하면 절반도 못하고 멈추게 될 것이다. 그 아쉬움 때문인지 거의 매일 컴퓨터 자판을 두들기는 너를 나는 응원한다. 나날이 침침함을 더하는 시력이 걱정되기도 하지만 그냥 밀고 나가는 너의 모습은 멋진 노후의 시간을 준비한다고 나는 생각한다. 하루를 거의 그렇게 보내다 보니 허리가 고장 나 병원을 드나드는 시간이 생겨났지만 글쓰기를 멈추고 싶은 생각을 안 하고 있으니 허리로 인한 불편은 아마도 지니고 살아야하지 싶구나.

아침에 일어나면 쓸쓸함이 엄습하기도 하는 시절이다. 단출한 밥상을 차리고, 커피를 내리고, 오늘같이 비가 내리는 가을 이야기를 길게 써넣은 먼 하늘을 바라볼 때면 참 많은 상념들이 찾아오지만 그래도 책을 읽으려는 너를 나는 사랑한다. 한 문장 한 문장 새겨가며 읽다 보면 오늘의 소재가 잡히곤 한다지. 밤이면 단어를 잡고 사유하는 시간이겠구나. 뭐 대단한 무엇을 쓰는 것은 아닐지라도 혼자 즐기기 좋은 놀이가 글쓰기 같구나.

나이 들어가면서 경계해야 할 한 가지를 너에게 당부할게.
사람들은 매일매일 여러 가지 사연들을 마주하며 살아간단다. 다들 그 사연을 붙잡고 아프게 걸어가지. 모두가 다른 사연이고, 설혹 비슷한 사연이라 할지라도 그 사연을 마주하는 개개인의 차이는 크단다. 각자 자아가 성장하는 어린 시절이 다르고, 현실을 마주 보는 관점이 다르단다. '그 정도 아무것도 아니야, 난 이런 일도 겪었어.' '시간이 해결해 줄 거야.' '세월이 약 이지.' 라는 말로 상대의 마음이 되어보지도 않은 채 위로하려고 하지 말았으면 좋겠어.
나이 든 어른인 만큼 섣부른 위로와 조언을 조심해 주길 바라.
경험을 통해 습득된 너의 관점을 억제할 수 있어야 비로소 상대의 마음으로 들어가는 길이 열린다는 것을 넌 알고 있었으면 좋겠어. 누군가가 힘든 일을 털어놓으면 그냥 마주 앉아 손을 꼭 잡아주는 그런 노년의 너였으면 난 좋겠어. 많은 말은 잔소리가 되니까 네 나이가 되면 공감할 것 같은 시 한 편 읽어줄게.

고원의 격려자

분쟁터를 누비다 나도 많이 다쳤다
전쟁의 세상에서 내 안에 전쟁이 들어서려 할 때,
다친 몸을 이끌고 올리브나무 아래로 간다

저 높은 고원에
나를 마중 나오신 듯한 나무 하나
몸을 기울여 오래오래
기다려오신 듯한 나무 하나

나는 그만 올리브나무에 기대앉아 아이처럼 운다

눈물 속에 한순간 잠이 들고나면, 그러면,
내 안에 빛과 힘이 차오르고, 다시 나의 길을 간다

말 없는 격려
속 깊은 사랑
은밀한 가호

언제나 그 자리에 서서
나를 기다리고 지켜주는 나무 하나
세상에는 그토록 묵중하고 한결같은
사랑의 사람 하나 있다

- 박노해 시인의 숨 고르기 '고원의 격려자'
사진에세이『올리브나무 아래』수록 詩

가을비

김 응 섭

새벽 그믐달이 구름 사이로 보이더니 사락사락 베란다 창문을 두드리며 가을비가 내린다. 올 여름 유난히도 잦았던 장맛비에 비하면 새색시처럼 다소곳이 내리는 가을비라 그런지 소란스럽지 않아서 좋다. 간간이 들리던 귀뚜라미 소리도 빗소리에 젖는다. 가로등이 젖고, 시내를 가로지르며 달리는 도로 위의 자동차 불빛도 젖는다. 농사일을 하시던 아버지는 가을비가 올 때마다 걱정이 가득했다. 여름 내내 땀을 흘리며 가꾸었던 곡식들이 영글 즈음에 내리는 가을비는 농민들에게는 반가울 수가 없다. 마당 한복판에 멍석을 깔고 널어놓았던 고추도 들여 놓아야 되고 볏단처럼 추슬러 놓았던 참깨도 비에 젖을세라 비닐을 덮어주고 갈무리를 하느라 당신의 몸이 젖는 줄도 모르셨다. 어느 해에는 이른 가을비에 수확을 하려고 논에 베어놓은 벼가 젖어 낱알에서 싹이 나기도 했다. 수확을 끝낸 낱알들은 마당에 멍석을 깔고 그 위에서 말리셨다. 높은 수매가[收買價]를 받기 위해서 해마다 치르던 연례행사로 잘 익고 잘 마른 벼를 생산하기 위한 마지막 과정이었다. 비에 젖어 채 마르지 않은 낱알들을 며칠 동안 아침저녁으로 널고 거두시기를 반복하셨다. 싹이 튼 낱알이며 쭉정이를 골라내시는 아버지의 두툼하고 억센 손가락이 빗소리에 스멀스멀 되살아난다.

가을비가 그치면 기온이 뚝하고 떨어지기 일쑤다. 하루가 다르게 기온이 낮아지면서 겨울로 가는 채비를 서두른다. 수확을 마친 농부들에게는 뒷설거지를 하면서 잠깐의 여유를 부릴 시간이 만들어지기도 한다. 그럴 즈음 나는 아버지를 따라 종종 마을 앞을 흐르는 냇가에서 물고기를 잡기도 했다. 날이 추워지면서 수온도 덩달아 낮아져서 물고기들이 한곳으로 모이는 시기이기도 하다. 개울의 풀숲이나 커다란 돌 틈에서 겨울을 지낼 요량이겠지만 이내 아버지의 손길을 벗어나지 못한다. 물고기를 담은 낡은 양은 주전자를 들고 아버지 뒤를 따라 논두렁길을 걷던 나를 기억한다. 뒷짐을 지고 걸어가는 아버지의 뒷모습이 당당해 보여서 나도 아버지의 흉내를 내면서 숨바꼭질하듯 따라갔었다. 그런 날의 저녁은 얼큰한 매운탕으로 온 가족이 하나가 되기도 했다.

사계절이 뚜렷한 덕에 내리는 비도 계절에 맞는 이름을 부여 받았다.

봄비는 따뜻하다. 봄비 속에는 생명을 잉태하는 숨소리가 들어있다. 자박자박 대지를 달래는 어머니의 손길이며 무대를 사뿐사뿐 돌아가는 왈츠의 선율이다. 몸을 움직이게 하고 새로운 생명을 탄생하게 한다. 겨울을 이겨낸 해갈[解渴]의 몸짓이다. 봄비는 미끄러지듯 경쾌한 선율처럼 내려 더하지도 덜하지도 않는다. 넘쳐흐르지 않으면서 촉촉하게 스며드는 힘이 있다. 그 힘으로 싹을 틔우고 생명이 자란다. 그래서 봄비는 반가운 손님이다.

어느 봄날 훈풍 속에 봄비가 내리던 오후, 학교 운동장에 아이들이 몇 명이 모여 놀고 있던 모습이 보였다. 운동장 이곳저곳으로 흐르는 빗물을 모아 길을 만들고 있었다. 무엇이 그리도 좋은지 깔깔대는 소리가 그치지 않는다. 걱정스러운 마음에 우산을 들고 운동장으로 나갔다. 나를 보며 밝게 웃어주는 아이들의 모습이 정겹다. 내 걱정은 아랑곳하지 않고 물놀이에 열중인 아이들이 행복해 보인다. 봄비가 피해야하는 대상이 아닌 놀이로 즐기는 모습을 몇 장의 사진으로 담았다. 우산을 접고 잠시나마 아이들과 함께 비에 젖어 보기도 했다. 내 젊은 날의 하루 같은 봄비는 늘 나에게 선물처럼 다가와 주었다.

한여름의 소나기는 지친 더위를 이기기에 안성맞춤이다. 지루한 비가 아니라 잠깐 지나치는 비다. 비 갠 하늘이 더욱 맑고 청명하다. 게다가 가끔은 무지개 선물도 남겨준다.

장마와 태풍이 불어와도 이미 성장한 곡식들은 쉽게 쓰러지지 않는다. 설령 쓰러진다 해도 곡식을 가꾸는 사람들의 마음까지 꺾지는 못한다. 어려움도 옹이처럼 아물게 하는 힘을 기르게 해 준다. 큰 비가 내리고 나면 새로운 길이 만들어지기도 하고 여기 저기 보이지 않던 돌들이 모습을 보이기도 한다. 상처가 생기면 아무는 시간이 필요할 뿐이다. 여름비는 사람들에게 아픔을 주기도 하고 새로운 길을 만들어주기도 한다. 사람들은 그런 어려움을 극복하면서 새로운 힘을 얻기도 한다. 외상 후 성장(外傷後成長)을 통한 과정은 상처를 받기 전보다 더 긍정적인 변화와 내면의 성장을 가져다준다. 어쩌면 내 중년의 시간들이 소나기와 비바람이 지나간 것처럼 느껴지기도 하지만, 꺾일 듯 휘어지는 나뭇가지가 다시 가지런하게 하늘을 바라보며 자라는 모습처럼 꿋꿋하게 버틴 내 모습이 새삼 대견해 보이기도 했었다.

다시 가을비가 내린다. 걱정하지 말자. 가을비에 흠뻑 젖어드는 흙냄새와 낙엽의 냄새도 맡아보자, 가을비가 그치고 나면 더 높아진 하늘과 맑은 구름이 선물처럼 다가오겠지. 단풍 속에 물들어 있는 여름의 흔적을 볼 것이며, 잊고 지냈던 어린 시절의 이야기들을 곶감 달 듯 처마지붕 밑에 하나 둘 엮으면서 단맛이 스며들기를 기다리는 행복을 맛보리라.

커다란 우산 하나 들고 나서는 길에 비에 젖은 누군가를 만나게 된다면 넉넉한 마음으로 내 우산도 나누어 주자. 이 비 그치면 민둥산에 올라 불어오는 바람에 쓰러지는 억새풀도 바라보자. 쓰러지기는 하지만 부러지지 않는 억새의 모습이며 바람과 어울려 사각거리는 억새의 노랫소리를 들어보자.
오늘은 장롱 속에 간직해 두었던 외투를 꺼내어 옷매무새 곱도록 단장을 해 놓아야겠다.

이제는 남편과 함께하는 시간을 좀 더 갖도록 해야겠다
바쁜 직장생활로 남편에게 소홀한 점도 있었겠지

민 정 숙

나는 20대 후반에 결혼해서 30여년 남편과 결혼생활을 이어가고 있다. 슬하에는 아들 둘을 뒀고. 내 남편은 언론인으로 30여년을 보내고 정년퇴직을 했는데 퇴직 이후에도 늘상 바쁘게 지내는 사람이다. 젊은 시절부터 하는 외국어 공부도 꾸준히 하고 직장생활 경력을 살려서 기간제이나마 직장도 구해서 다니고.

언론인들이 다 그런지는 모르겠지만 내 남편은 직장생활 동안 술을 너무 과하게 마시는 것 같았다. 담배는 안 피우고 그나마 운전면허가 없어서 운전을 못 하니 음주운전을 할 염려는 없었지만 과음으로 속을 썩인 적이 여러번 있다. 가끔 남편이 자기는 누구와 일대일로 술을 마셔서 진 적이 없다고 너스레를 떨 때면 나는 어김없이 그것도 자랑이냐고 핀잔을 주곤 한다.
내 남편은 결혼 이후에 특별히 하는 운동은 없었지만 많이 걷고 아침에 일어나면 역기도 들고 팔굽혀펴기를 꾸준히 해서 건강한 몸을 지니고 있었다. 피곤하다면서 본인이 해야 할 일을 거르는 법도 없었다. 어찌 보면 참으로 기계적으로 산다는 표현이 맞을 수도 있겠다.

그런 남편과 30여년 서로 바쁘게 직장생활을 하다 보니 어느덧 둘 모두 퇴직을 했고 나이도 이제는 60대에 접어들었다. 퇴직을 하고 생각하니 결혼생활 내내 남편과 둘만의 시간을 가졌던 게 별로 없었던 것 같았다. 이제는 남편과 둘이 여행도 다니고 강아지를 데리고 동네 산책도 할 수 있는 시간이 있을 것 같았다.

그러던 재작년 11월에 큰 일이 터졌다. 건강한 줄만 알았던 남편이 생사를 장담할 수 없는 큰 병으로 쓰러진 것이다. 시아버님도 똑같은 병으로 돌아가셔서 정말 남편이 죽을지 살지를 알 수가 없었다. 다행히도 남편은 두세번의 죽을 고비를 넘기고 18일만에 병원에서 무사히 퇴원을 했다. 특별한 후유증도 없이 지금은 책도 열심히 보고 할 일도 최선을 다해서 하고 가끔 하는 잔소리도 여전한 걸 보면 예전 내 남편 그대로의 모습이다.

남편이 큰 병을 겪으면서 남편이 없으면 나는 어떻게 살 수 있을까를 생각했다. 살

자신이 없었다. 누구를 믿고 의지해서 살지 막막했다. 나는 요즘도 괜한 걱정으로 남편이 잠을 잘 때 가끔 숨은 정상적으로 쉬는지 확인하곤 한다. 남편이 예전 모습 그대로 아주 건강한 데도 말이다.

인간의 수명을 누가 얼마까지 산다고 장담을 하겠나. 이제는 시간이 나는 대로 남편과 좀 더 함께 지내려고 한다. 박식한 남편한테 이런저런 얘기도 듣고 세상사 돌아가는 것에 대한 의견도 들어보고. 내 남편 말고 그 누가 있어 내 여생을 함께 걸어갈 수 있겠나.

인생의 남은 여정도 남편과 2인3각으로 걸어가야 할 운명인 것을.

멋진 황혼을 위하여

오 선 민

세월이 참 빠르다.
돌이켜보면 살아온 날이 긴 것 같은데 벌써 60세를 넘어서 중반에 다다른다.
잘 살아온 것 같은데 또 후회스러운 것도 있다.
짧은 인생길에 난 무엇을 남겼을까?
하고 싶은 일을 마음을 다해 도전하였는지, 아니면 뒤로 미루어 두었는지. 그래도 시를 쓰면서 내 이름을 남겼으니 됐다고 스스로 위로해 본다.

요즘은 100세 시대라 해서 100살까지 산다고 하지만 그건 통계일 뿐.
내가 언제까지 살 거라고는 장담할 수 없다. 그래서 하루하루가 소중하고 감사하다.
친구들과 이야기하다 보면 벌써? 우리가? 이런 대화가 오간다.
어쩌다 우연히 옛날 텔레비전에 나오는 가수나 코미디언, 배우들을 보면 이미 세상을 떠나고 없는 분들이 대부분이다. 오랜만에 들려온 친구의 소식은 어머니, 아버님의 부고장이다.
나의 젊은 시절은 격동적인 시대의 역사와 함께 지났다. 5·16쿠데타, 유신헌법, 10·26사건, 석유파동, 12·12 군사 반란, 5·18 민주화운동, 6·29 선언 등.
누구나 역사의 한가운데 서 있었다. 역사 속에 내가 있었다. 시대에 따라 나도 흐르고 변했다.

문득 시아버님 생각이 난다.
매해 가을이면 마당에 있는 단감을 따서 한 상자씩 보내주시고, 철마다 생선도 보내주시던 아버님. 3년 전부터는 모든 게 끊겼다. 아버님이 돌아가시고부터 단감도, 참기름도, 생선도 받아 볼 수 없다. 아버님 생각이 나면 아버님과의 추억들도 떠오른다. 나도 아이들에게 무엇인가 나를 기억할 만한 것을 남겨야겠다. 예를 들면 우리 엄마는 고기를 좋아하셨는데..... 이 노래를 참 좋아하셨는데..... 이런 색깔을 좋아하셨는데...... 우리 엄마는 시를 사랑하셨는데.... 등.

그래서 우리 아이들이 나를 잊지 않고 기억해 주기를 바란다.
60대는 추억을 많이 남겨야겠다. 가족들과 친구들과 함께 여행도 많이 다녀야겠다. 일출보다 일몰이 아름답다. 석양을 보면 주위를 아름다운 색으로 물들이고 있다.

나도 아름다운 색으로 물들이며 질 수 있는 사람이 되어야겠다고 다짐한다. 서서히 준비해야 하는 때가 아닐까...... 꽉 찬 보름달처럼 멋지고 환한 노후를 보내야겠다.

거울 볼 시간에 아직도 한 눈을 파는 60대
머리는 멈추라 하지만 가슴은 더 가라 재촉하는 시기 60

이 명 재

지금까지 쌓아 온 걸 모두 빼고 남은 진실한 내 모습을 대하는 순간 적잖이 당황한다.
스스로 꽤 괜찮은 사람이라 자부심을 갖았던 사람일수록 실망은 더 커질 것이다.
어제와 오늘이 너무도 다르고, 지난날과 현실이 너무 차이가 많은 걸 보고 놀란다.
그러나 현실은 엄연한 현실이다.
새벽 5시면 일어나 하루를 계획하고, 7시면 출근하여 하루를 꼼꼼히 체크하던 일들이 하루아침에 사라지고, 공연히 서성이며 갈 곳이 있는데 안 간 것처럼 찝찝한 하루의 시작이 연속되면, 정신적 공황상태를 겪게 된다.
36년간 긴 세월에 희끗희끗한 백발의 중간 지점에 얻은 자유와 해방의 시간이 거짓말처럼 찾아왔다.
긴 세월 동안 볼 것도 못 볼 것도 참 많이 보았고, 할 일 못 할 일 참 많이도 하고 살았다.
최선인 것 같았던 일들이 최악이었고, 최악이었던 순간이 최선이 되기도 했다.
선과 악은 항상 일정한 기준에 의한 가치관이 아닌 시대적, 환경적인 측면에서 유동적이라는 것이다.
사회구조와 시대적 상황에 따라 달라진다는 것이다.
요즘 들어 몇 년 전까지만 해도 꿈도 못 꾸었을 일들이 일어나도 세상은 그렇게 또 아무렇지도 않게 그렇게 흘러가고 있는 것이다.
불합리하고 비생산적인 일이라도 명분을 내세우고 공론화하여 이기면 그것이 선이고, 분명 모두가 악이라고 믿어 왔던 사실도 밀리면 구시대적 악으로 변해 버리는 게 선과 악의 분별법이라면 모두 당황하고 비난할 것이다.
그러나 세상은 또 그리 흘러가더란 것이다.
혼란과 질서의 무분별한 반복 사이에서 인간은 무기력하게 하나의 톱니가 되어 그 역할을 수행하면 그걸로 끝인 것이지, 범인은 특히 그 역할이 정해진 것도 없더란 것이다.

추수가 끝난 휑한 가을 들녘을 보는듯한 썰렁함!
아직도 갈 길은 먼 것 같은데, 어느덧 길은 끊기고, 해가 져버린 현실.

머리로는 비워야겠다고 수백 번 더 생각하는데, 하루에도 수백 번씩 가슴은 요동을 치고 더 가자고 나를 조르고, 창밖은 나와 상관없이 여전히 분주하다.
이제 모든 걸 정리하고 조용히 거울을 볼 시간이다.
잘 살았으면 거울 속의 내가 더없이 아름다울 것이고, 잘 못살았으면 추한 모습일 게다.
구비마다 최선의 선택이 때로는 아픔이 되어 남아 있고, 때로는 보람으로 남아 있기도 하다.
삶의 아귀다툼 속에서 한 마리 아귀가 되어 다툼을 벌이던 순간순간들.
나를 잊고 살 수밖에 없었던 순간들이 억울하게 다가선다.
앞과 뒤가 다르고, 겉과 속이 상반되고, 수시로 변화하던 사람과 사람의 관계, 원칙이 살길이라 여겼던 마음의 기둥, 생존의 본능이었는지도 모른다.
그 선택이 잘 된 것이었는지는 아직도 모르겠다.
다시 세상에 나설 기회가 생기고, 자리를 얻어 나아갈 기회도 생기지만, 이젠 품위 있고, 격조 높은 삶을 살 아야 하겠다는 생각에 마다하고 소소한 소일거리나 찾아 세월을 죽인다.
말끄러미 거울을 들여다본다.
실타래처럼 설켰던 지난날들이 하나씩 풀려나간다.
내가 아니면 안 될 것 같고, 내가 중심이 되어 돌아가던 엊그제 일들이 무상함을 느낀다.
평생 안 올 것 같던 끝이 다가오고, 어제까지 있었던 내가 오늘의 나와 너무도 대조적일 때 사람은 무기력 해진다.
그만큼 살았으면 이제 비우고 남을 위해 살자고 다짐을 하며, 봉사라는 위장막 속으로 내 몸을 숨기고 스스 로 위안을 하며 세월을 죽여도 봤다.
나 스스로 나를 속였던 거다.
가장 값진 것 같았던 가치가 어느 날 사라지고, 버려진 나 자신에 대한 변명을 찾기 위한 구실이었다는 걸 알면 스스로 슬퍼진다.
가슴 저 밑바닥은 아직도 살아 펄떡이며 끓어오르는데, 그 욕망의 용광로를 숨기는데 안간힘을 쓰며, 현실을 숨기려 했던 것이다.
세상이 알아서 내일들을 모두 헤결해 주던 날들이, 지금은 몇 시간씩 기다려 내 차례가 되고 까다로운 요구 조건을 모두 들어주어야 받아 오는 현실을 보며 세상을 다시 배운다.
이게 진정한 사회질서구나, 지금껏 내가 산 건 내가 산 게 아니고, 나를 살게 해준 또 다른 이질적인 질서가 있었구나, 다시 세상 속에 들어온 나는 그저 신기할 다름이다.

모든 사람이 그리들 살아가는데, 나는 그 세상과 어울리지 못하고 살았다는 걸 깨닫는다.
이방인이 세상에 들어와 모든 게 신기한 구경거리 같은 세상을 배우며, 초등학생 같이 낯선 적응의 기간이 길었던 것 같다.

정말 이제는 나만의 거울을 들여다보고 내 얼굴은 내가 책임을 져야 한다는 생각을 한다.
과거의 잘못이 있다면 그 잘못은 잘못대로 감수하고, 앞으로 다가올 날들에 대한 내 얼굴을 관리해야 하는 시기가 된듯하다.
이런저런 일들에 안 말리고, 이런저런 유혹에 초연하며, 그냥 살겠다는 생각에 세상과 등을 돌려 조용한 일상 을 보냈다.
수년의 세월 수도승 같은 생활을 하며, 애써 외부와 단절하려고 노력을 했다.
거절하면 안 될 자리를 두어 개 맡아 아무 말 없이 앉아 있다가 오려 노력을 하다가도, 너무 아닌 걸 몇 마 디하고 또 공연히 했다는 후회를 남기고, 다음번엔 참석하지 말아야지 하다가도 시기가 되면 또 부탁하던 얼 굴이 떠올라 나가 앉아 입 다물고 있으려 노력을 한다.
내가 아니라도 말할 사람은 시간이 없어 못 한다.
주어진 수명을 다 살아도 불과 몇 날이 안 남은 것 같은데, 모두들 할 말이 참 많은 것 같다.
주어진 시간이 없어서, 모두 다하고 가려는 듯이 할 말이 많다.
지금껏 허황된 일들을 겪어 온 날들을 거울삼아, 남은 세월은 진실하게 살아야 한다.
하루도 빠짐없이 나만의 거울을 꺼내 보며 맑고 깨끗하게 살고 싶다.
어느 날 길 가다 만난 곱고 고상하게 늙은이를 부러워했던 것처럼, 그 사람을 닮아보려고 노력한다.
속에서 깊이 풍겨 나오는 인품과, 욕심 없이 고요한 연못을 닮아 감히 범접하기 어려운 기품이 넘치던 그 노 인을 닮아가려 노력을 한다.
속을 비우고, 미웠던 사람들을 지우고, 좋았던 사람도 지우고, 마음의 빈 곳은 빈 곳으로 그냥 놓아두고, 빈 사찰에 홀로 하루종일 앉아 절을 지키면서도 변함없이 보여주는 부처의 미소처럼, 아무도 없어도 조용히 흐 르는 미소를 보이며 살려고 오늘도 거울을 본다.
거스를 수 없는 세월의 한가운데에서 고요를 담으려 노력을 해 본다.

60대의 나에게.
자신을 위한 삶을 살아가라고 말한다

정 향 분

사회적으로 힘들고 고된 시기에 태어난 60대들은 경제적으로 뿐만 아니라 격동의 세월 속에 어마 무시한 사회적 변화에 적응하며 사느라 많이도 바쁘고 고단하게 살아왔다.
내 자신도 그렇듯이 대부분의 60대 사람들이 나의 개성과 욕망은 모두 접어두고 주어진 일을 무조건 최선을 다해 살아온 것 같다.
샌드위치 세대라고도 하며 민주화 세대, 낀 세대, 효도 마지막 세대 등 그동안 한국사회의 산업화를 주도하며 경제발전의 주역이었던 베이비부머 세대가 2010년을 기점으로 점점 사회 은퇴자의 길을 걷기 시작했다고 한다.

대부분의 베이비부머세대들은 부모로부터 부족한 경제적 지원을 받으며 어렵게 독립하거나 자수성가하여 성장하며 살았다. 이제 은퇴를 맞게 되었거나 준비하며 미래를 불안해하는 친구들과 이야기를 나누다 보면 나 자신도 은퇴자로써 공감하는 면이 많이 있다.
거기에다 부모 봉양과 동시에 자녀 양육이라는 두 가지 사회적 책임을 여전히 지니고 있으며, 본인의 노후준비라는 과제도 안고 있다.
그럼에도 불구하고 많은 베이비부머들이 나의 노후를 위한 자산을 축적하지 못하고 사회 공적 자산인 연금. 사회복지 예산 등을 축내는 세대로 젊은 청년들 세대에게 미안해해야 하는 세대이기도 한 것 같다.

베이비부머에 관심 갖다가 발견한 서울대 송호근 교수가 그린 우리 시대 50대의 서글픈 자화상이라는 부제로 〈베이비부머 세대는 소리내어 울지 않는다.〉 쉽게 말해 지금 나이가 60대인(십년 전) 세대에 대해 쓴 글이다.
70년대 이후 고도성장에 청춘을 바쳤으나, 별다른 대책 없이 노후를 맞아야 하는, 그들의 현실을 다양한 인터뷰와, 저자 자신의 개인적 인생사에 대한 솔직한 고백으로 들려주고 있다.
수많은 어려운 상황에도 참고 견디며 살아온 그들의 삶의 모습에 코끝이 시큰해 졌었다.
2013년에 출판된 이 책에서의 상황과 10년이나 흐른 지금의 상황이 별반 다르지 않은 것도 서글프다.
특히나 마음 아팠던 부분이 <부모 없는 자식들의 세대>라는 표현 이었다. 수출액 100만불의 후진국이 1조 달러 선진국으로 도약하는 대장정에 디딤돌이 된 세대, 세계 최장의 노동시간을 기록했던 세대, 자신의 취향도 모르던 세대, 각종 스펙으로 무장한 자식 세대한테 밀려 쓸쓸하게 퇴장하는 세 대라는 표현에 마음 깊이 공감하였다.

은퇴기에 들어보니 그저 주어진 대로 열심히만 살았기에 나를 위해 어떻게 살아야 하는지도 모르는 경우가 많다. 나 역시도 그저 잠시 멍하니 쉬는 것도 잘 되지 않는다. 무엇인가 의미 있거나 생산적인 일을 해야 한다는 강박이 나를 놓아주지 않는다.
집안에서 잠시 앉아 있는 시간에는 뜨개질이나 바르질 등이라도 하지 않으면 마음이 불편하다.
60을 넘어 사는 동안 매사에 긴장하고 너무 힘주어 살아왔기 때문에 지금은 힘을 빼고 여유롭게 살아 보려고 많이 노력하는 중이다. 물론 평생 삶의 습관이라 잘 되진 않지만 말이다.

이제 60대의 나에게 말한다.
일터에서 은퇴를 하고 고단하고 힘겨웠던 나에게 이제 쉴 자격이 있다고 말하고 싶다. 그리고 자기 자신을 돌아보는 삶을 살자고 말해주고 싶다.
나를 돌볼 생각조차 못하고 살았던 세대이기에 60대에는 나 자신을 진지하게 들여다 보며 ,아끼고 보듬어 주며, 나를 알아가는 자신을 위한 삶을 살아가라고 말하고 한다.

그다음은 60대가 되기까지 축적한 내안의 것들을 나누며 살아야 한다고 생각하고 있다.
직접적인 기부나, 재능기부 등을 통해 미래세대와 나 자신을 위해서도 젊은이들에게 버팀목이 되는 가치 있는 일들도 많이 해야 된다고 말하고 싶다. 소액이지만 이십여년 전부터 몇몇 단체에 고정적으로 기부를 하고 있다. 내 생활이 어려울 때에도 멈추지 않았다. 작은 보람도 갖게 되었다.

인간은 자신이 사랑하는 것, 보람 있는 일에 열중하고, 해냈을 때 진정한 행복을 느낀다고 한다. 이제껏 돌보지 않았던 내 자신을 사랑하고, 보람을 느끼는 것에 열정을 쏟으며 60대를 살아가라고 말하고 싶다.

60대의 나에게 해 주고 싶은 말

최 개 헌

60대 이면 인생의 새로운 시작이라고 할수 있다.
은퇴 후에도 건강하고 행복하게 제2 인생을 살아기 위해서 여러가지 준비해야 할 것도 있지만 가장 중요한 것은 정신건강이라고 생각한다. 정신건강이 좋아야 노후를 행복하고 즐겁게 보낼수 있다. 자신의 건강과 직결되는 새로운 도전의 문제를 잘 마무리하기 위해 60대 나에게 하고 싶은 말은 마음챙김의 7원칙을 지키며 생활하자이다.

① 판단하지 말라(Non-judging)
우리는 늘 판단하거나 평가한다. 좋고 나쁨을 따지며 반응한다. 그래서 '있는 그대로' 볼 수 없다. 뇌의 재잘거림도 대표적이다. 이를 멈추기 위해서 인위적으로 '지금 여기'에 마음을 집중한다.

가장 쉬운 방법이 호흡이다. 자기 호흡의 들숨 날숨에만 마음을 집중한다. 반복훈련되다보면 마음의 재잘거림을 통제할 수 있는 힘이 점차 커지며 잡념에서 벗어나 마음이 고요해진다. 오감(五感)에 집중하는 것도 좋은 방법이다.

비판단'은 MBSR을 비롯 모든 마음훈련의 기본이다. 운동으로 따지면 달리기나 근력운동이다.

② 인내심을 가져라(Patience)
인생에서 인내심이 중요하듯이 마음챙김도 똑같다. 하다보면 지지부진할 때도 있고 하기 싫을 때도 있다. 그래도 꾸준히 해야 한다. 손흥민 선수처럼….훈련 중에도 마음은 늘 흔들리고 방황한다. 어느새 또 다른 생각에 빠져 있는 나를 발견한다. 이때도 인내심이 필요하다.

자신을 비판하지 말고 알아차린 나를 격려하라. 그리고 부드럽게 주의를 다시 호흡으로 돌린다. 사람은 무언가에 몰두할 때 '뇌의 재잘거림'에서 벗어날 수 있다.

③ 초심을 견지하라(Beginner's mind)

"내가 해봐서 알아" 나이가 들고 경험이 많을수록 자기 판단과 경험을 기정사실화한다. 그래서 새로움도, 본래 모습도 보지 못한다.
초심자의 마음은 모든 것을 마치 처음 보듯이 대하는 마음이다. 어린아이 마음이자 호기심이다. 마음챙김도 마찬가지다. '지금 여기'의 몸과 마음 상태는 '1분전 여기'의 몸과 마음 상태와 다르다.

일상에서 어떤 사람을 만났을 때도, 밖에 나가 자연을 바라볼 때도 늘 새로운 마음으로 보라.

④ 믿음을 가져라(Trust)
'진리(眞理)의 방은 하나지만 들어가는 문은 여러 개 있다'는 말처럼, 각자 자기만의 깨달음, 방법, 취향이 있다. 그렇다고 내것만이 옳다는 독선이나 독단과는 전혀 다르다.
마음챙김은 자신의 감각·감정·생각을 바탕으로 의식세계는 물론 무의식 세계도 찾아가는 고도의 주관적 마음작업이다.
지도자나 교재를 따르는 것도 좋지만 궁극적으로 내 자신의 느낌과 직관에 대한 믿음을 바탕으로 찾아가는 것이다. '지금 이 순간'을 사는 것은 예수, 석가모니도 아닌 바로 나다.

⑤ 너무 애쓰지 말라(Non-striving)
세계적인 운동선수도 슬럼프를 겪는다. 번아웃이 온다. 너무 목표지향적으로 살다보니 쉴 때도 쉬지 못했기 때문이다.

마음챙김은 무언가 되려고 애쓰며 목적 지향적으로 사는 삶을 벗어나 '무언가 되려고 애쓰지 않는 삶'의 태도를 가지라는 것이다. 유위(有爲·Doing)가 아니라 무위(無爲·Non-doing)의 삶으로 잠시 기아 변속을 하라는 것이다.

⑥ 수용하라 (Acceptance)
공자님 말씀 같지만 만사를 있는 그대로 보고 받아들이는 것은 매사 불만을 품고 살아가는 것과는 천양지차다.

우리는 뚱뚱해지는 것을 싫어하지만 다이어트를 잘 못하는 자신에게도 불만이다. 또 내가 어떻게 할 수 없는 회사 동료의 태도에 늘 못마땅해 한다.

이처럼 우리는 이미 사실인 것을 부정하거나 저항하는데 많은 에너지를 소모해 치유와 성장을 이끌 동력을 고갈시킨다.

사실을 인정하고 받아들일 때 오히려 적절히 대응할 힘이 발휘된다. 마음챙김은 수용 능력을 개발해준다. 받아들이는 그릇(배포)이 커지는 것이다.

⑦ 내려놓아라 (Letting go)
잠자리에 들어서 마음에서 생각을 떨쳐 버리지 못할 때가 많다. 이 생각에서 벗어나려고 잠을 자 보겠다고 노력을 하면 할수록 잠은 점점 더 도망가 버린다.

좋은 감정이든, 싫은 감정이든 한번 마음이 무언가에 붙잡히면 잘 빠져나오지 못한다. 본능적으로 좋으면 움켜잡으려 하고 싫으면 떨쳐버리려고 한다.

마음챙김 훈련은 이런 '접근과 집착', '회피와 배척'이라는 양 극단의 마음을 중도(中道)에서 바라보게끔 해준다. 있는 그대로 수용하고 내버려두게 한다.

비틀즈의 유명한 노래 'Let it be(내버려 둬)'도 이런 뜻을 가지고 있다. 어떤 힘든 것이 닥쳐도 순리대로 자연 속에 맡기라는 무위(無爲)사상이 담겨 있다.

7

인생질문

원주에서의 나의 모습

너 하고 싶은 거, 다 해!

김 모 니 카

남편은 내게 말했어
기운 없다고 누워있던 사람이 카메라만 들면 펄펄 나는구먼!
그러게?
카메라를 들면 돌파구 같았어
아내, 엄마, 딸의 의무 같은 것은 없어도 되었으니까
훌륭한 사진을 남기는 것 따위엔 나는 관심이 없었거든
나는 나와 더불어 사는 사람들의 얘기를 담고 싶었어
즐거워하는 사람들의 순간, 찰나를 담고 싶었어
일상에서 담은 그들의 미소가, 환한 웃음이
내가 위로받았듯 세상 사람에게도 위로가 되길 바랐지
그들이 꿈꾸는 아름다운 세상을
나도 꿈꾸며 응원하고 싶었어
항상 위로가 되는 사진
내가 꿈꾸는 사진의 세계
내가 꿈꾸는 이야기가 있는 빛그림 세상
자, 카메라 들어라
오늘은 어떤 웃음을 담을래?

겨우 두 달 남은 나의 50대
지금부터 하고 싶은 거 다 해
퐙~
상상만으로도 신나잖니?

지금, 여기 그리고 나 · · ·
나는 원주에서 자유를 꿈꾼다.

김 영 통

꿈속에서는 좋은 꿈, 나쁜 꿈이 있지만 깨고 나면 다만 한낱 '꿈'일 뿐이다. 달콤한 꿈은 깨고 나면 아쉽지만 나쁜 꿈은 깨고 일어나면 안도의 한숨을 쉬게 된다.

꿈속에 보이는 일들만 '꿈' 일까?

과거에 좋았던 경험과 괴로웠던 일이 그리움과 상처로 남았다면 아직 꿈속에 있는 것이다.
사람들은 과거 생각에 괴롭고, 미래 생각에 근심 걱정한다. 과거의 기억 속에 사는 사람도 미래에 대한 염려 속에 사는 사람도 모두가'꿈'속에 사는 사람일 뿐이다.

후회와 근심 걱정으로 괴로울 때는 "아! 내가 또 꿈을 꾸고 있구나!" 하고 바로 깨어나야 한다.
지금을 놓치면 번뇌에 휩싸이게 되고 지금 깨어 있으면 불행할 이유가 없어진다.

과거나 미래가 아닌 지금, 저기가 아닌 여기, 남이 아닌 나에게, 깨어 있어야 자유로워진다.
나는 지금 원주에 있다. 꿈이 아니다. 현실이다. 그래서 나는 원주에서 자유를 꿈꾼다.

카르페 디엠(Carpe diem)

내 삶의 절반을 기억하는 원주에게
차분해진 계절을 데리고 걸어갈게

김 영 희

시월이 지나가는 길목으로 계절은 한 층 더 깊어졌어. 나무들은 끓어오르던 열정을 안으로 품고 방하착을 준비하고 있어. 구룡사에서 세렴폭포까지 가는 길에는 가을 속을 걷는 사람들이 하루가 다르게 숫자를 더하고 있는데 겨울에 들 풍경들을 만나러 오나 봐.
원주하면 사람들은 치악산을 먼저 말하잖아. '치악산 몇 번 가봤어?' 어디 가서 원주가 집이라고 하면 흔히들 훅 들어오는 질문이잖아. 치악산은 험하기도 하지만 1,288m의 높이를 자랑하는데 모든 사람들이 몇 번씩이나 갈 수는 없을 터인데 말이야.
계곡으로 올라가든, 계단으로 올라가든 숨이 턱턱 차오르는 산. 등반 로를 올라보면 젊음을 품고 달리던 숨 가쁜 날들 같기도 하지. 그런데 요즘 같은 가을날에는 순하디 순한 단풍을 걸어주는 국내 어느 산보다도 아름다운 곳이잖아. 나무들처럼 아름답게 물어야 한다는 생각을 하게 만드는 치악산은 대한민국 100대 명산에 속하는 원주의 자랑이지.

나의 꿈은 시를 쓰는 국어선생님이거나, 사회부 기자였어. 둘 중 하나는 꼭 이루리라 공부했었어. 그런데 세상살이가 뜻대로 되는 사람도 있겠지만, 그렇지 못한 사람들도 많잖아. 나는 그렇지 못한 사람에 속해서 젊은 날의 시간들을 절룩이는 걸음으로 다른 곳을 걸으면서 살아왔어.
다소 늦은 감이 드는 어느 시기에 시인이 되고, 대학이나 센터에 나가서 시 창작 강의를 했으니 국어선생님의 꿈은 살짝 맛본 셈이지? 출발이 늦은 만큼 열심히 달렸어. 여섯 권의 시집을 발간하고 또 달려가다가 올 한 해는 기자의 꿈도 살짝 맛보았어. 스템피플협동조합에서 신중년 기자단을 모집했었어. 투데이 피플 기자증을 받고, 취재를 하고, 인터뷰를 하면서 내가 꿈꾸던 기자의 모습을 들여다봤어. 어설픈 기자지만 자부심 하나로 밀고 나갔어. 어찌됐건 8개월 간 나는 어엿한 기자였으니 내가 꿈꾸던 나의 꿈을 조금쯤은 이룬 셈이지?

건너는 길목마다 허방도 있었지만 주저앉지 않고 걸어간 것은 접어둔 꿈이 있었기 때문이었어. '시간이 좀 더 흐르고 나면 꿈을 펼 수 있으려나.' 하는 희망 하나가 나의 빛이었어. 창문 틈새로 들어오는 아주 작은 빛 하나를 향해서 걸었지.
바쁜 일상으로 일에 갇혀 살다가 풍경에 취하고 싶은 날은 원동 남산 꼭대기에 있는 '추월대'에 올라 머리를 식히고 내려오곤 했었어. 조선시대 시인 묵객들이 오르던 동산이라 현대인들의 발길은 뜸한 곳이야. 혼자 울거나 생각에 잠기기 좋은 곳이지. 치악산 기슭과 추월대는 내가 시심을 키운 곳이라고 말할 수도 있는데, 추월대에 올라보면 원주 시내가 한눈에 들어오는 곳이야. 앞이 트여 있어서 이름 그대로 달을 바라보기 참 좋은 곳인데 이삼년 못 가봐서 무슨 변화가 생겼을지 잘 모르겠는데 암튼 내가 원주에서 삼십여 년을 살면서 찾아낸 나의 쉼터이지.

'세상에서 가장 소중한 것이 무엇일까' 하는 생각을 요즘은 많이 하곤 해.
내가 세상에 와서 만난 풍경과, 살아가면서 사랑했던 사람들과, 아끼고 모아둔 물건들일까?
아니야, 세상에서 가장 소중한 것은 나 자신이라는 것을 요즘에서야 생각하게 되었어. 나이가 들고 이곳저곳 아픈 곳이 생겨나면서 내 몸이 소중하다는 것도 생각하게 되었어. 육체적으로 힘이 있다고 마구 부린 몸이 이제야 신음 소리를 내고 있으니 몸도 주인을 닮는가 봐. 젊은 시절 어느 누가 나보고 미련하다고, 곰 같다고 해서 밤새 울었던 날이 있었어. 그 미련함이 오늘의 나를 만들었는지 모르겠지만 난 참으로 미련한 구석이 있나봐. 안 해도 되는 남의 감정 들여다보다 절룩이는 내 감정이 이제야 내 눈에 보여. 세상 속에서 참아낸 흔적 같은 것 말이야.

이제는 소중한 나 자신을 위해 모든 걱정의 문은 닫아놓으려 해.
나중에 생의 마지막 날들이 올 때쯤 원주에서의 나의 시간들이 후회나 미련 같은 것이 남지 않도록 나를 위한 시간이 들어오는 문을 활짝 열어놓으려고 해. 자주 추월대에 올라 시가지의 모습과 달빛에 취해보기도 하고, 치악산을 오르면서 더 많은 생각들을 만나보려 해.
풍경에 들면서 3km 정도 걸으면 세렴 폭포야. 물이 산길을 구불구불 내려오다가 벼랑을 만나면 폭포의 생이 되는 거야. 단숨에 뛰어내리며 외치는 소리는 물의 울음이야. 울음 울던 물줄기들이 서로의 등을 밀어주며, 혹은 웅얼거리며 계곡에 들어 다시 최초의 물방울 소리로 흐르지. 인생길의 순간순간을 들여다보는 것 같은 폭포 아래서의 시간은 깊은 의미를 주는 시간이야. 계곡에 앉아 커피 한 잔 마시고 나면 모든 시름과 걱정이 씻어지기도 하지.

치악산은 픽션 이든 논픽션이든 많은 이야기를 품고 있어. 작은 돌이나 바위 하나하

나에, 가녀린 풀잎에, 휘돌아 나오는 길모퉁이에 핀 들꽃이나 모두가 살아온, 혹은 살아가는 이야기를 품고 있어. 그리고 치악산은 자유롭게 춤추는 바람의 집이기도 해. 바람은 떠돌다가 다시 치악산 품으로 돌아오곤 하는데, 요즘은 그 길을 걸으면서 나를 좀 더 자유로운 사람으로 만들어가고 있어.

내 생의 절반 가까이를 품고 안아준 원주, 원주가 아닌 다른 도시에 살고 있다면 지금의 나는 어떤 색깔로 살아가고 있을까? 두 번째 고향 같은 원주의 곳곳, 차분해진 계절을 데리고 걸어가고 싶어.

주머니 속에서 만지작거리는 행복

김 응 섭

여명이 밝아오는 치악산 능선이 발그레하다. 여기저기 떠있는 구름사이로 아침 햇살이 스며들어 흡사 운무가 짙게 깔린 바닷가의 작은 섬들처럼 보인다.
텀블러에 따끈한 보리차를 가득 채우고 초콜릿과 귤 서너 개를 가방에 담아 집을 나선다. 벚나무 단풍이 아름답던 아파트 입구에는 간밤에 떨어진 잎사귀들이 바람에 쓸려 이리저리 뒹굴고, 메타스퀘어 나무들이 장승처럼 늘어선 길가에는 자동차가 지나갈 때마다 춤추듯 나뭇잎들이 떨어지고 있다.
용화산 둘레길을 걷는다. 아직 어둑어둑한 어둠들이 나무그늘 사이에 남아있다. 부지런한 사람들이 나보다 먼저 둘레길을 걷고 있다, 나무를 스치고 다가오는 바람이 신선하다. 화들짝 놀라는 내 몸의 세포들이 잠에서 깨어나듯 숨이 가빠지고 따뜻한 기운이 솟는다. 이마에 땀방울이 맺힐 즈음 용화산 정상에서 아침 해를 맞이한다. 먹빛으로 어둡던 치악산이 아침햇살을 받아 찬란한 빛으로 색을 입는다. 꼭 높은 산이나 바닷가에서 맞아하는 일출만이 아니라 작은 산봉우리에서 맞이하는 아침 해도 가슴 벅찬 감동이 있다. 휴대폰을 꺼내어 치악산에서 솟아오르는 아침 해를 찍어본다. 주변이 어두워서 더 밝은 해가 새겨진다. 따끈한 보리차와 귤 한 개로 숨을 고르고 집으로 돌아온다.
아침 식사를 마치고 41번 버스를 오른다. 중, 고등학교 때 매일 등하교를 함께한 버스를 40여 년이 지나서 타보는 감회가 새삼스럽다. 콩나물시루 같던 등굣길의 버스는 우리 마을에 오기 전 이미 만원으로 우리를 태우지 않고 지나치는 경우가 종종 있었다. 그럴 때마다 지각을 하지 않으려고 태장동까지 줄달음으로 달려가 시내버스를 탔던 기억이 새록새록하다.

버스에서 내려 고향마을에 들어선다. 이미 수확을 마친 논이 있는가 하면 아직도 누런 벼들이 들판을 황금빛으로 물들이고 있다. 자동차 길을 마다하고 작은 논두렁길을 걷는다. 어릴 적 아버지께서는 가을 날 논두렁길을 걸을 때마다 내 논이건 남의 논이건 마다하지 않고 벼 낱알을 몇 개 훑어서 손톱으로 껍질을 벗겨 입에 넣으시곤 하셨다. 충실한 것과 쭉정이로 한 해의 농사를 가늠을 해 보신 듯하다. 아버지를 따라 나도 벼 몇 알을 따서 입에 넣어본다. 단단한 낱알로 영글어진 여름 시간들이 느껴진다. 갑자기 발이 축축함을 느낀다. 가녀린 풀잎에 맺힌 이슬방울들이 아침햇살을 받아 수정처럼 빛난다. 논두렁에 쪼그리고 앉아 햇살에 비친 영롱한 이슬방울들을 카메라에 담아본다.

발걸음을 돌려 개울가로 나온다. 연한 보랏빛의 꽃으로 풍성하게 피어있는 갈대가 바람에 흔들거리고 있다. 초등학교 시절 갈대꽃 이삭을 한 움큼 꺾어 계집아이들에게 건네주던 기억에 코웃음이 난다. 행복한 기억은 쉽게 잊혀지지 않고 오랫동안 마음 한 켠에 보관되어 삶을 따뜻하게 해 준다.

버스를 타고 다시 시내로 나온다. 차창으로 스치는 은행잎들이 도로위에 즐비하다. 손에 잡힐 듯 한 가을이 바람처럼 지나가고 있다. 도서관을 들렸다. 도서관에 올 때마다 마음 숙연해지는 느낌을 받는다. 발걸음이 무거워지고 숨소리조차 미안하다. 책을 읽거나 혼자만의 생각을 하기에는 도서관 모퉁이 자리만한 곳이 없다. 하루를 돌아보기도 하고 서가[書架]를 훑어보면서 마음에 드는 책을 고르고 한 줄 한 줄 읽어나가는 재미 또한 쏠쏠하다. 학창 시절에 읽었던 책을 보게 되면 더욱 정감을 느낀다. 책을 읽으면서 재미있는 표현이나 마음에 드는 글귀를 수첩에 메모하는 것도 잊지 않는다. 메모한 글들이 차곡차곡 쌓이는 것도 마음 뿌듯하다.

'젊었을 때는 용기가 있어야 하고 장년기에는 신념이 있어야 하나, 늙어서는 지혜가 필요하다.'

'사람은 성장하는 동안에는 늙지 않는다.'

백년 가까이 살아온 김형석 교수의 '백년을 살아보니' 라는 책을 읽다가 문득 늙음을 생각한다. 단풍잎 같은 글귀 서 너 구절을 책갈피에 간직하고 도서관을 나오는데, 노을보다 더 짙은 붉은 단풍잎이 바람에 쓸려 가슴으로 들어온다.

집으로 돌아오는 길인데 핸드폰 진동이 울린다.

"오늘 5일장인데 구경 갈래요?"
아이들의 연주회 준비를 하느라 바쁜 아내가 오늘 하려던 일을 마무리했다고 시장 구경을 추천한다, 못이기는 척하고 아내를 기다려 시장으로 간다.
파장을 앞둔 시장은 물건을 팔려는 사람과 사려는 사람들의 분주한 눈길을 마주할 수 있다. 장바닥 한 편에 자리를 잡고 푸성귀를 파는 할머니의 굽은 허리를 볼 수도 있고, 과일이며 수산물들이 상인들의 손길을 빌어 즐비하게 정돈되어 있는 모습이 정겹다. 누군가의 수고로움이 겹쳐서 가격으로 흥정된다. 아내는 대형가게보다 난전의 푸성귀 구입을 선호한다. 물건을 구입한다기보다 노구[老軀]를 이끌고 먼 길을 나와 시간의 품을 팔고 계시는 할머니들의 마음을 사고 있는 것이리라, 어쩌면 이미 작고하신 부모님의 모습을 떠올렸을지도 모르겠다. 구입한 물건을 들어주면서 맞잡은 아내의 손길이 따스하다.
"내일 문화원에 전시회가 있는데 함께 가볼까요?"

집으로 돌아오는 길에 들은 아내의 제안에 전시회 구경을 할 내일 생각으로 발걸음이 바빠진다. 이미 해는 서산으로 지고 있는데 마음은 대낮처럼 밝아온다.

섬강은 어디메요 치악이 여기로다
이제는 원주에 뼈를 묻을 나의 삶

민 정 숙

나는 영월이 고향이다. 단종애사가 얽힌 충절의 고장 영월에서 태어나 초중고를 다녔고 대학 재학시절만 외지에서 생활하다 다시 고향인 영월로 돌아가서 교직을 시작했다. 결혼을 하기 이전에는 원주를 다녀갈 기회도 많지 않았다.

28살에 고향이 원주인 남편과 결혼을 해서 그 이후로는 쭉 원주에 연고를 두고 30여년을 살고 있으니 이제는 원주를 떠난 내 삶을 생각할 수도 없고, 아들 둘 모두 원주에서 출산했으니 인생의 마지막을 원주에서 보낼 운명이다.

30여년을 원주에서 사니 내 삶의 희로애락이 고향인 영월보다 원주에 훨씬 더 많이 얽혀있다. 아들 둘을 얻었지만 시아버님, 내 부모님을 모두 여읜 곳도 원주이고, 지금 원주에는 언니, 남동생 등 피붙이도 같이 사니 이제는 고향을 원주로 여기고 살고 있다.

원주는 역사가 깊은 도시이다. 중고등학교 시절 국사책에서 배웠던 마한의 동쪽 경계가 원주로 추정된다. 마한은 전라도 지역에 있던 나라인 줄로만 알았는데 원주에서 마한의 유적, 유물이 발견된다는 사실이 놀랍기만 했다. 백제가 마한을 병합했으니 백제에 속했었고, 고구려 장수왕이 남하정책을 펼쳐서 원주를 평원군이라 불렀다.

원주사람들은 평원군은 생소해도 북원이라는 지명에는 익숙하다. 내 남편은 원주고 졸업생이라는 자부심이 강한 사람이다. 남편이 젊었을 때 술을 마시거나 하면 원주고 교가라면서 북원뜰 들려오는 역사의 진군~으로 시작되는 노래를 불렀던 기억이 새롭다. 남편이 어릴 적 친구들과 오랜 기간 함께하는 모임의 이름도 북우회다. 풀어 쓰자면 북원의 친구모임 정도 되지 않을까. 북원은 통일신라 시대부터 원주를 일컫던 지명이니 원주는 백제, 고구려, 신라의 역사가 공존하는 융합의 도시이다.

내가 원주에서 30여년 살면서 느끼는 생각은 원주는 텃세가 없는 도시라는 점이다. 외지에서 원주에 삶의 둥지를 튼 사람들이 한결같이 하는 얘기가 원주는 텃세가 없는 도시라는 얘기일 거다. 나는 그 기저에는 백제, 고구려, 신라의 삼국을 모두 거친 역사의 여정이 원주사람들의 유전자에 강하게 자리하기 때문이라고 풀이하고 싶다. 내 것만을 고집하기보다는 남의 것도 과감히 받아들이는 포용의 정신이 의식의 기저에 자리하기에 원주가 강원도에서 가장 발달한 도시가 될 수 있었다고 생각한다.

나는 고향이 원주인 남편을 만나서 원주에서 사는 것을 고맙게 생각한다. 역사가 깊은 도시 원주, 포용하는 도시 원주, 강원도 발전을 이끄는 도시 원주, 정철의 관동별곡에 나오는 '섬강은 어디메요 치악이 여기로다'로 상징되는 산수 수려한 원주에서 원주시민으로서의 현재의 삶에 나는 만족한다. 인생의 마지막까지 원주시민으로 살면서 남편, 아들 둘과 함께 행복한 삶을 살다가 원주에 뼈를 묻어야 하는 내 운명에 나는 감사한 마음이다.

영원한 청춘을 위하여
멋진 황혼을 맞이

오 선 민

원주에 자리를 잡은지 29년 째.
꽤 많은 시간이 지나갔다. 30대를 보내고 40대, 50대, 그리고 지금.
가만히 지나간 시간을 되돌려본다. 화려하고 예쁘고 젊었던 시절. 이제는 지나간 시절이 그리워진다.

사무엘 울만의 「청춘」이라는 시를 보면 청춘이란 어느 기간을 말하는 것이 아니라 마음가짐을 말한다고 했다. 60세이든 16세이든 열정을 가지면 그것이 청춘이라 말하고 있다. 그렇다면 나는 지금 열정을 가지고 있는가? 아니면 그저 이제는 늙었으니 하고 탄식만 하고 있는가? 이 시를 읽으며 다시금 멋진 노후를 맞이할 희망을 가져본다.

청춘/사무엘 울만

청춘이란
인생의 어느 기간을 말하는 것이 아니라
마음의 상태를 말한다.
그것은 장미빛 뺨, 앵두 같은 입술,
하늘거리는 자태가 아니라,
강인한 의지, 풍부한 상상력, 불타는 열정을 말한다.

청춘이란
인생의 깊은 샘물에서 오는 신선한 정신,
유약함을 물리치는 용기,
안이를 뿌리치는 모험심을 의미한다.

때로는 이십의 청년보다
육십이 된 사람에게 청춘이 있다.
나이를 먹는다고 해서 우리가 늙는 것은 아니다.
이상을 잃어버릴 때 비로소 늙는 것이다.

세월은 우리의 주름살을 늘게 하지만
열정을 가진 마음을 시들게 하지는 못한다.
고뇌, 공포, 실망 때문에 기력이 땅으로 떨어질 때
비로소 마음이 시들어 버리는 것이다.

육십 세이든 십육 세이든
모든 사람의 가슴속에는 놀라움에 끌리는 마음,
젖먹이 아이와 같은 미지에 대한 끝없는 탐구심,
삶에서 환희를 얻고자 하는 열망이 있는 법이다.

그대와 나의 가슴속에는
남에게 잘 보이지 않는 그 무엇이 간직되어 있다.
아름다움, 희망, 희열, 용기
영원의 세계에서 오는 힘,
이 모든 것을 간직하고 있는 한
언제까지나 그대는 젊음을 유지할 것이다.

영감이 끊어져 정신이 냉소라는 눈에 파묻히고
비탄이란 얼음에 갇힌 사람은
비록 나이가 이십세라 할지라도
이미 늙은이와 다름없다.
그러나 머리를 드높여
희망이란 파도를 탈 수 있는 한
그대는 팔십 세일지라도
영원한 청춘의 소유자인 것이다.

홀로 스며든 원주
늘 미안한 마음으로

이 명 재

원주는 상고시대 수 만년 전부터 사람이 살았고, 삼한시대에는 마한의 동쪽 끝에 위치하였으며, 백제의 영토였고, 고구려 장수왕 57년에는 평원군이라 했으며,
9세기말 신라가 쇠퇴하면서 각처에서 반란이 일어, 양길은 원주를 근거지로 세력을 확장하여 오늘날 강원특별자치도 대부분을 차지했다고 한다.
원주라고 불리게 된 것은 고려 태조 23년이었다고 하며, 1395년 강릉의 "강"자와 원주의 "원"자를 따서 강원도라 부르게 되었으니, 강원도의 근원은 원주라고 하는 게 맞을 것 같다.
1895년 원주가 충주부로 됨에 따라 원주에 있던 강원감영이 춘천으로 옮기게 되었고, 1914년 강원도 원주군으로 불리게 되었다고 한다.
유구한 역사 속에 내가 살고 갈 시간은 티끌에 불과하겠지만, 뭔가 원주에 도움이 되었으면 좋겠다는 생각을 오래전부터 가지고 있었다.

원주와의 인연은 우연이 아니었을까?
단계동이 모래밭이었을 때, 옛 농고 터 아파트를 분양받아 스며든 건 35년 전이었나 보다.
좋은 일만 있었던 원주 살이었다.
궁합이 원주와 잘 맞았던 거 아닐까?
식구 모두 건강하고, 애들 모두 잘 되어 제 구실하고 있으니, 그만하면 감사해야 한다.

사람살이가 다 그런 거지, 특별히 나쁘지 않으면 좋은 거고, 큰 시련이 없으면 만족하고 사는 게지.
만들어서 미워할 사람이 없는 것만도 좋은 일이며, 손가락 질 안 받아도 되는 세상살이면 잘 산 거지.
더 갈 곳도 없고, 더 연결된 특별한 길이 보이지도 않고, 눈뜨면 보이는 치악산도 나쁘지 않고, 긴 주말부부 생활로 원주에 아는 사람도 없지만, 나이 든 사람을 찾아주어 그래도 일주에 한번 정도 나 갈 수 있고, 부족한 사람을 사람으로 대접도 해주는 곳이 있고, 그냥저냥 이곳에서 짐을 아주 내려놓을까 생각 중이다.
경치 좋고 바다가 보이고 짭조름한 바다 내음이 좋은 곳으로 옮길까도 생각했지만,

그곳에 간들 모르는 곳에 살기는 마찬가지고, 이 고을을 떠난다고 이곳처럼 몇몇 알아보는 사람도 없을 것 같다.
여기서 살기로 한 이상 이곳 사람들에게 마지막엔 신세를 져야 할 것 같은데, 창밖으로 분주히 움직이는 사람들을 바라보며, 감사하고 살자고 생각을 한다.

저렇게 바쁜 사람 중 내가 누구 손에 신세를 지고 갈지를 모른다는 생각을 하며, 고마움을 갖는다.
창밖의 세상은 나를 두고 흐르는 것 같지만, 한 편에 비껴선 나도 저 사람들 틈에 끼어 있음을 안다.
저들에게 나는 무엇을 줄 수 있을까?

뭔가 주고, 나도 받아야 하는데 저들에게 나는 줄 수 있는 게 없다.
36년을 다른 곳에서 떠돌다 솜이불에 물기 스미듯 스며들어 저들은 내 존재조차 느끼지 못하지만, 나는 그들에게 의지해야 하는 처지니, 뭔가를 줘야 되는데, 내놓을 게 없다는 게 안타깝다.
여기에 길들여진 거 같다.
새장의 새는 놓아줘도 날지를 못한다.
새장이 익숙한 안식처이기 때문일 것이다.
나도 이 원주에서 나가도, 다시 돌아올 것 같아 나가지 못하는지도 모른다.
어떤 영화에서 40년을 교도소에서 살아온 사람이 사면을 맞아, 세상이 두려워 출소를 못하고, 다른 범죄를 저질러 그곳에 남아 있기를 갈망하는 장면이 있다.
포기하여 적응하고 그 포기가 일상이 되면 생활의 전부가 되는 것이다.

아는 사람이 없어 지루하고 변화 없는 생활이지만, 나름 적응하고 잘 살고 있나 보다.

원주는 특히 변화가 없는 곳이다.

비교적 재해에도 안전하고, 사람들도 큰 특색 없이, 살아가는 도시다.

강원도 웬만한 도시는 모두 살아 보았지만, 원주 같이 특색이 없이 사는 도시도 드물 것 같다.

사람들이 온순하고, 비교적 잰틀 하게 산다고 하는 편이 맞을 거 같다.

다른 도시처럼 활력이 있는 것처럼 보이지도 않지만, 아침 출근길에는 다른 도시보다 더 활력이 있다.

특색이 있다면, 중장비 이동이 많고, 산업발전이 특색인 도시인 거 같다.

원주에서 춘천을 10년 가까이 출·퇴근을 해 본 결과 느낀 도시의 특색이다.

4개 시·군을 거쳐 매일 같이 출·퇴근을 하다 보면 도시별 특색을 알 수 있다.

원주는 그런 곳이다.

외지에서 들어와 정착한 인구가 원주에서 계속 살던 사람들 보다 많지 않을까?

여기저기서 일자리를 찾아 모여 살다 보니, 무질서한 것 같으면서도 서로를 존중하고 모르는 사람들끼리 친숙해지는 일이 다반사인 그런 도시 같다.

어느 도시처럼 텃세가 심한 것도 아니요, 지역 색이 강한 것도 아닌 서로가 어울려 살아가는 그런 도시란 생각이 든다.

타고난 팔자가 역마살이 끼어서인지 참 많은 곳을 다니며 살았다.

주민등록 용지가 모두 차서 더 기입하기 어려울 정도로 많은 곳을 헤매다 원주에 정착을 했다.

아무 불편도 없고, 험담도 없는 곳이다.

사람살기엔 원주만 한 곳이 없다고 나는 자신 있게 말할 수 있다.

워낙 많은 곳을 떠돌며 살았으니, 가는 곳마다 분위파악을 먼저 하게 된다.

애시당초 애들 교육 문제로 고향을 떠나 살게 됐지만, 오래 살다 보니 그 생활이 더 편한 이점도 많다.

이 사람 저 사람 눈치 안 봐 좋고, 내가 지킬 일만 지키며 산다면 다른 사람 눈치 볼 게 없어 더 좋다.

특히 원주에 정착하여 몇 년이 흘렀지만 불편한 게 없다.

어디고 2,3시간이면 갈 수 있는 교통여건도 좋고, 사람들이 온순해 좋고. 특히 텃세가 없어 더 좋다.

오늘도 창밖은 분주히 오가는 인파들이 보이지만, 나는 그들과 완전히 격리된 생처럼 살고 있지만, 저 많은 사람들이 이뤄 놓은 그 어떤 것의 덕으로 하루를 살아가고 있는 것이다.

나는 그저 저들이 힘써 일구어 놓은 기반에서 덤으로 살아가는 것 같아 미안한 마음이 든다.

저들에게 오늘도 뭘 줄까 생각하지만, 줄게 없어 늘 미안하다.

원주에서의 나
그럼에도 불구(不拘)하고 또 다른 시작...

정 향 분

 우리가 열심히 살아가는 이유는 각자가 이루어야 할 꿈과 목표가 있기 때문이다.
인생 전반에 걸쳐 이루어야 할 커다란 꿈과 또 오늘 하루 성취해야 할 소소한 꿈을 위해 살아왔다.
60년을 살아오면서 수많은 꿈과 목표을 만들고, 실패하기도 하고, 이루기도하였다.
33년의 교직생활 동안 나를 되돌아보면 열정적으로 근무하고 열심히 일하며 정신없이 살아왔다. 그러는 동안 자신에게는 많이 각박하게 대했었다. 그로해서 인지 은퇴 후에는 뭔가 잃어버린 것처럼 허전한 마음도 많이 있다.

때때로 사랑스럽고 소중했던 많은 제자들과의 시간들을 추억하다 빙긋이 웃어지기도 한다.
셀 수없이 많았던 사랑과 보람을 생각하면 늘 마음은 행복해 지다가도 마음 한편으로 허전한 마음을 따로 채우기가 어려웠다.

2021년에 이어 2023 올해도 투데이 피플 인터넷 신문사 기자로 일하며 많은 의욕과 행복감을 갖게 되었다. 수도 없이 쏟아지는 음악, 미술, 그 외의 예술 공연을 찾아 기사를 썼다.
많은 예술가들을 알아보고 수많은 연주곡을 어떻게 해설할까 고민하며 늦은 밤까지 예술자료들을 비교하고 다듬으며 타이핑을 하곤 했다.

음악을 전공했다고 해도 모든 연주곡을 알지는 못한다. 새로운 의욕으로 음악을 찾고, 연주가를 알아보며 기사를 쓰는 것이 참으로 즐겁고 보람 있었다.
교사가 아닌 예술분야 기자로써, 또 다른 모습의 나를 발견하는 보람 있는 한 해로 만들어 가고 있다.

교직에서 은퇴하고 원주에서의 나는 아직은 교사 안에서의 내 모습이 대부분이지만 새로운 나의 발견으로 기분 좋다.
기자 일을 마치게 되더라도 새로운 목적을 가질 수 있는 자신감도 얻었다.

명확한 목적이 있는 사람은 가장 험난한 길에서조차도 앞으로 나아가고,
아무런 목적이 없는 사람은 가장 순탄한 길에서조차도 앞으로 나아가지 못한다.(토

머스 칼라일)라는 말이 있다.

'불구(不拘)하다'는 것은
다른 것에 얽매이지 않는다는 뜻이다.

일터에서 은퇴하여 중장년이 되었다는 것이 아직도 때론 생경하기도 하다. 그럼에도 불구(不拘)하고 또 다른 시작이라고 생각한다.
아무런 일도 하지 않는다면, 상처도 없겠지만 성장도 없다. 하지만 뭔가 하게 되면 나는 어떤 식으로든 성장한다.
하고자 하는 일은 그 어떤 것도 마음먹기 달린 것을 알기에...
이제 은퇴자로써 허전함과 우울 감을 털어내고 또 다른 목표를 만들며
원주에서의 또 다른 나를 만들어 가고자 한다.

나를 기자로 만들어준 투데이 피플 인터넷 신문사에 감사 드린다.

죽는 날까지 한 점 부끄럼 없이 살다 가는 인생이 나의 삶의 목표이다

최 개 헌

내가 살던 고향은 푸른 바다가 넘실거리고 들판에는 푸른 초장의 전경이 더해지는 아름다운 동해안 작은 농촌마을이다. 이곳에서 젊은 시절 부모님과 함께 지내며 농사도 짓고 추억을 쌓았다.

청춘시절에는 또래 친구들과 어울려 세상 무서운 줄 모르고 질풍노도의 반항기가 심한 아이로 부모님 속도 꽤나 썩였던 생각이 많이 난다. 그 시절 사춘기를 보낼 무렵 돌연 어머님이 돌아가시는 바람에 나의 반항심은 극에 달한 것 같았다. 아버지가 새어머니를 들이고 가정을 다시 이끌어 나가셨지만 친어머니에 대한 그리움 때문에 집을 나가 친구들과 어울려 방황했던 시절... 그래도 아버지가 아무 말 없이 사랑으로 꿋꿋하게 대해주시는 덕분에 나는 다시 학교생활을 잘 할 수 있었다.

학창시절 고향과 멀리 떨어진 곳에서 자취생활을 할 때 이야기이다. 아직도 잊지 못하는 사건은 친구들과 몰래 학생 금지 성인영화 구경을 하러 극장에 들어가 2층 구석에서 영화를 보려고 하는데 갑자기 담임 선생님과 교련 선생님이 극장에 나타나 검열을 하며 2층으로 올라오는 것이었다. 친구 한 명이 교련 선생님을 밀쳐서 넘어지는 사이 우리는 도망갔으나 한 친구가 모자를 뺏기는 바람에 들통이 나서 교무실에 끌려가 하루종일 기합을 받고 반성문을 쓰며 혼났던 사건이다. 다행히도 담임 선생님이 우리가 공부도 잘하기도 하고 장난기 있는 마음을 알아주셔서 그 사건 이후에도 학업에 열중할 수 있었다.

장난기가 많고 사고치기 일쑤인 내 친구들은 누구보다도 잘난 체 하는 놈은 그냥 못 넘기는 의리심이 강했던 친구들이었고 또한 열심히 공부도 했다. 그 시절 늦은 봄 보리밭에는 초록빛 보리가 바람에 넘실거리면서 특유의 향기를 풍기며 내 마음을 설레게 하였고 보리밭에 몰래 들어가 동창 여자친구랑 조잘거리다 어른들에게 들켜서 야단을 맞던 옛 생각도 난다. 어김없이 겨울에는 그 추운 동지섣달 친구들끼리 한방에 모여 서로 폼 잡아가며 구성지게 옛 노래를 하면서 한 곡조 뽑던 순수했던 그 모습이 아직도 눈에 어린다.

대학 2학년 때부터 고시반에 들어가 공부를 할 때 선배들의 조언은 법을 공부하는 사람은 감정보다 이성이 앞서야 되고 상대방에게 건방지게 대하여야 한다는 이야기를 들으며 공부를 했지만 나는 이성보다는 감정을 사랑했고 냉정보다는 의리를 중요시 여기는 성격탓에 법은 내 적성에 맞지 않는다는 생각을 많이 했다.

그 시절 박정희 대통령 시해 사건인 10·26사태가 터져 그 이후 정국이 혼미하자 학교 앞에는 탱크가 지키고 형사들이 수위실에 상주할 때, 학교생활을 제대로 할 수 없는 불만에 피의 대가를 치르더라도 정의는 세우자라는 열정이 일어나 학생 데모에 가담해 경찰관들에게 많이 두들겨 맞았던 생각이 난다. 그런 시절을 보내며 대학 4학년이 되었을 때 취업과 고시 두 가지 선택 중에서 나는 경제적 여건으로 취업을 선택해 직장생활을 하게 된다. 긴 머리에 염색한 군복을 입고 음악다방을 드나들고 실리보다 명분을 중요시 여겼던 그 시절이 그리워진다.

대학 졸업 후 직장생활을 하면서 많은 변화가 찾아온다. 그 좋아했던 의리, 명분보다 실리가 더 중요하다는 사실을 알게 되면서 직장생활 중 시간나는대로 운동을 했고 심지어는 집사람한데 운동 중독이라는 말을 들을 정도로 열심히 했다.

처음으로 시작한 운동은 등산이다. 산악회에 들어가 백두대간 종주 1기로 선발되어 1년 동안 주말과 방학에는 차박을 하면서 새벽에 산에 올라 전국을 일주하며 그 어려운 백두대간을 종주하였다. 또한 검도를 좋아했다. 30대 중반에 시작한 검도는 지금까지 30여년간 꾸준히 해온 운동이다. 원주시 치악검도회 회장도 한 적이 있다. 검도는 스트레스 해소와 체력 단련에 아주 좋은 운동이다. 또 좋아한 것은 MTB 자전거타기 운동이다. 원주시 동호회원들과 전국 일주는 물론 일본 후쿠오카와 대마도 그 외 지역을 자전거로 투어 한 적이 있는데 지금도 주말이면 자전거를 탄다.

이후 오랜기간 대학과 고등학교 겸임교사 생활을 하다가 교직생활을 그만두고 한국국제협력단 소속 코이카봉사단으로 우즈베키스탄 부하라대학교에서 3년간 한국어교수로 활동했다.
우즈베키스탄나라에 대하여 처음에는 사막의 나라와 종교가 이슬람이라 삭막하고 폐쇄적이라 생각했지만 현지생활은 아주 보람이 있었고 생활도 아주 여유로웠다.
우즈벡 사람들은 정이 많고 순박했다.

코이카에 합격되어 설레는 마음으로 영월에 있는 코이카 봉사단 연수원에서 두 달간 영어와 우즈벡어와 한국어 학습법에 대한 기술을 배우고 2016년 12월 나는 우즈베키스탄 부하라대학교 한국어교수로 파견 되어 제2의 인생의 시작이 되었다.

막상 임지에 파견되어 활동할 때는 힘든 것도 많았지만 학생들을 가르치는 보람이 훨씬 컸고 교육을 통해 자신의 삶에 있어 인권의 중요성을 알게 돼 세계 시민교육에 이바지하고 있다는 자부심에 새로운 인생 경험을 하기에 충분했다.

그리고 봉사활동 임기 2년이 끝나고 귀국 준비를 할 무렵, 우즈베키스탄 부하라대학교 코어커와 총장과 학생들이 연장하기를 원해서 봉사활동을 더 할 수 있게 되었을 때 ' 아, 이 사람들이 나를 알아주고 필요로 하는구나'라는 것이 가장 기뻤다

사람은 다른 사람으로부터 인정을 받을 때가 가장 보람 있는 삶이라고 생각한다. 아리랑을 배우며 K팝을 좋아했고 선생님이 최고라며 여대생들이 졸졸 따라다니며 솜사탕을 사먹던 그 시절이 다시 한 번 그리워진다. 이것이 나의 인생에 있어 가장 보람 있는 인생의 터닝 포인트가 되었다.

또한 귀국 이후 원주고등학교 춘천의 소양중학교등 기간제 사회선생으로 1년간 근무를 하면서 선생님들의 생활에 대한 현장감을 많이 느꼈다.
수능대비 학생들에게 조금이나마 보탬이 되게 할려고 밤새 공부하고 EBS강의를 들으며 학생들의 열심히 가르치던일 시험고사 출제 문제 난이도를 고민하던일 등이 부족함도 있었지만 세월이 갈수록 더 많은 지식을 알게 되었고 일류 강사로 자신감도 갖었었다.

세상에 모든 일은 끝이 시작으로 이어지고 시작이 또 끝으로 이어지는 쳇바퀴 인생이다.
요즈음은 신중년 기자생활과 Y고등학교 시간강사로 내 인생의 새로운 시작이 되어 글 쓰는 재미도 솔솔하다

현재 나의 생활은 모든 것이 감사다. 좋은 사람을 만나 감사하고 행복한 가정이 있음에 감사하고 어느 정도 돈도 벌어서 행복하게 살 수 있다는 것이 늘 감사하며 자식농사도 잘되어 감사하다. 이제 노년생활의 중요한 것은 건강관리이다. 죽는 날까지 한 점 부끄럼 없이 살다 가는 인생이 나의 바람이며 기도 제목이다.

마무리 인사

안녕하세요.

2023년 신중년경력형일자리사업 함께+교육 진로단 담당자
스탬피플협동조합의 차현아입니다.

신중년 분들과 함께한 지 벌써 일 년이 훌쩍 지났네요. 어색하게 신중년
분들과의 인사를 거친 후 사업을 시작한 것이 엊그제 같은데, 벌써 사계절이
지나고 사업이 종료되었습니다.

항상 저를 많이 도움 주시고 이해해 주셔서 덕분에 수월하게 사업을 마무리할
수 있었습니다. 저에게 새로운 기쁨과 좋은 경험을 선물해주신 신중년 분들께
감사의 말씀을 드립니다.

'일곱개의 인생질문' 을 읽으면서 마음 속에 위로와 응원, 그리고 지혜를
얻었습니다. 신중년분들의 에세이를 통해 새로운 관점을 배우고, 저를 다시
되돌아보는 시간을 가질 수 있었습니다.

언제든지 도움이나 궁금한 사항이 있으면 언제든지 편하게 연락주시길
바랍니다! 저희는 항상 여러분과 소통하며 협력할 준비가 되어 있습니다.
편안한 마음으로 연락 부탁드립니다!

앞으로도 지속적으로 신중년 분들의 소중한 인생을 응원하고 지지하겠습니다!

감사합니다.

스탬피플협동조합

차 현 아

열명의 신중년이 답해주는
일곱 개의 인생질문